# ここだけ読めば決算書はわかる

**2023年版**

税理士
佐々木理恵 [著]

新星出版社

**はじめに**

「決算書を読めるようになりたい！」と思っている人は、多いことでしょう。

でも、決算書には、たくさんの数字や、聞き慣れない用語がズラリと並んでいます。そのため、「難しそう」とか「とっつきにくそう」と思っている人もたくさんいます。

そんな決算書の、「ここだけ読めば、わかる！」というポイントを、会社の会計や決算について知識ゼロの人でもわかるように解説したのが、この本です。

決算書には、会社がビジネスを行った結果があらわされています。

「どれだけ稼いだのか」

「どれだけ儲かったのか、損したのか」

「借金の状況はどうなのか」

「会社が抱える経営課題は何なのか」など——。

決算書を読めるようになれば、これらのことがわかります。

会社の数字を読み解く知識は、経営者や役員、経理担当者だけではなく、いまや仕事をするすべての方にぜひ身につけていただきたい、ビジネスパーソンにとっての「常識」といえます。

本書は、図解を多く用いた入門的な解説に始まり、実際の会社の決算書を読み解く、実践的な内容になっています。

気楽に、楽しみながら読み進めていただければ幸いです。

税理士　佐々木理恵

## 3章
# 損益計算書はこうなっている

## 4章
# 経営分析で会社の数字を読もう

## 5章
# キャッシュ・フロー計算書って何？

本書は、2022 年6月現在の会計基準、
法令等をもとに解説しています。

本文デザイン・DTP ●田中由美
編集協力●㈲クラップス

# 1章

## 決算書
### ってどんなもの？

1章

1

# 1 決算って何？ 決算書って何？

## ◆決算とは、1年間のビジネスの総まとめ

　会社は、商品や製品を売ったり、あるいはサービスを提供するなど、さまざまなビジネス、つまり経営活動を行います。この経営活動を、原則として1年間を1つの区切りとして、結果を総まとめするのが、決算と呼ばれる作業です。右の図を参照

　決算で総まとめするのは、主に会社が1年間でいくら稼いだかという経営成績と、1年を終えた時点で財産の状態がどうなっているかという財政状態です。

　決算は、最低でも年に1回、行います。ちなみに、決算を行う月（決算月）を何月にするかは、会社が自由に決められます。

## ◆決算書とは、社外の人も見る会社の「成績表」

　会社は、日々、お金の出入りを記録し、管理しています。これを「会計」といい、決算では、この会計の情報をもとに、いくつかの書類をつくります。それが、決算書です。

　決算書は、会社法という法律によって、すべての会社で、一定のルールに基づいた書類を作成することが義務づけられています。また、自社の株式を証券取引所で取引している上場会社は、金融商品取引法という法律により、やはり一定のルールに基づいたものを作成しなければなりません。

　決算書には、2つの重要な書類があります。

　1つは、1年間で売上や利益がどれだけあったかをまとめた書類で、これを損益計算書といいます。詳細はP.16

　もう1つは、決算をした時点で、どんな財産が、どれだけあったかをまとめた書類で、これを貸借対照表といいます。詳細はP.14

　決算書は、会社にとって「通知表」「成績表」のようなものです。会社は決算書をもとに、税金を払ったり、銀行からお金を借りたりします。

　そのため決算書は、経営者や、会社にビジネスを行う元手となるお金を出している株主のほか、税務署や銀行など社外の人も見る、とても大事な書類なのです。

---

### ▶「決算書」「財務諸表」、なぜ呼び方が違う？

　決算書というのは、正式な呼称ではありません。会社法上の呼び方は「計算書類」であり、金融商品取引法上は「有価証券報告書」といういい方をします。ただ、どちらも一般的には決算書、または財務諸表と呼ばれているのです。

## 決算とは？ 決算書とは？

会社はさまざまなビジネス（＝経営活動）を
する中で、お金を得たり、支払ったりする

1年間を1つの区切りとして
ビジネスの結果を総まとめする

それが **決 算**

今は半年間で
も認められてい
ますが、本書で
は1年間を前提
とします

決算の時につくる書類

それが **決算書**

計算書類、
有価証券報告
書といういい方
もします

法律で作成が
義務づけられ
ています

## 損益計算書

1年間で売上や利益が
どれだけあったかを
まとめた書類

## 貸借対照表

決算をした時点で、
どんな財産が、どれだけ
あったかをまとめた書類

# 2 決算書には、いくつか種類がある

## ◆決算でつくる書類は会社法で決められている

前のページで、決算ではいくつかの書類をつくる、といいましたが、具体的にはどのような書類（決算書）をつくるのでしょうか。

会社法によって、すべての会社に作成が義務づけられている決算書は、貸借対照表、損益計算書、株主資本等変動計算書、個別注記表です。これらを「計算書類」と呼び、このほかに事業報告、附属明細書を加えたものを「計算書類等」と呼んでいます。

詳細はP.22

これらに加えて、自社の株式を証券取引所で取引できるようにしている上場会社には、金融商品取引法により、キャッシュ・フロー計算書という書類の作成も義務づけられています。

詳細はP.70

そして、上場会社に限らず、会社法が定める「大会社」に相当する会社には、損益計算書の公開などが義務づけられています。

下の欄参照

## ◆大事なのは貸借対照表と損益計算書

決算書のうち、最も大事な2つの書類が、貸借対照表と損益計算書です。

まず、貸借対照表には、会社が今、どれくらい財産をもっているのかが書かれています。つまり、会社の財政状態が書かれていて、これを見れば、会社がビジネスをするための元手である、資金の調達と運用の状況がわかるようになっています。

詳細はP.14

一方、損益計算書は、会社が1年間でどれだけ売上（収益）や利益を得たのか、つまり会社の経営成績が書かれている決算書です。

詳細はP.16

これを見れば、どれだけ売上（収益）を上げたのか、そして、その売上（収益）を上げるためにどれだけ費用を使ったのか、さらには、売上（収益）と費用の差額である利益はどれくらいあったのかが、わかるようになっています。

---

### ▶会社法が定める「大会社」とは？

会社法2条6号は、最終事業年度の貸借対照表で、次のいずれかの要件を満たす会社を「大会社」と定義づけています。

①資本金5億円以上　②負債総額200億円以上

資本や負債の額が大きい会社は、社会的な影響力が大きいため、損益計算書の公開（公告）などが義務づけられているのです。

---

# 会社法に基づく決算書とは？

| 計算書類 | ＋ | 事業報告 | 附属明細書 |

貸借対照表、損益計算書、株主資本等変動計算書、個別注記表があります

⇨P.22 を参照

これらを合わせて計算書類等といいます

## 最も大事な２つの書類

### 貸借対照表

➡会社の財政状態が書かれている

➡資金の調達と運用の状況がわかる

| 科目 | 金額 | | 科目 | 金額 |
|---|---|---|---|---|
| 資産の部 | | | 負債の部 | |
| 流動資産 | 135,240 | | 流動負債 | 118,150 |
| 現金及び預金 | 47,334 | | 支払手形 | 29,630 |
| 受取手形 | 20,286 | | 買掛金 | 59,075 |
| 売掛金 | 27,048 | | 短期借入金 | 14,700 |
| 棚卸資産 | 24,372 | | 未払金 | 8,500 |
| 短期貸付金 | 16,200 | | その他 | 6,245 |
| 固定資産 | 64,440 | | 固定負債 | 24,538 |
| 有形固定資産 | 38,200 | | 長期借入金 | 23,000 |
| 建物 | 25,000 | | その他 | 1,538 |
| 機械装置 | 6,800 | | 負債の部　合計 | 142,688 |
| 器具備品 | 2,100 | | | |
| 車両運搬具 | 4,300 | | 純資産の部 | |
| 無形固定資産 | 18,080 | | 資本金 | 10,000 |
| ソフトウェア | 18,080 | | 資本剰余金 | 4,500 |
| 投資その他の資産 | 8,160 | | 利益剰余金 | 47,292 |
| 投資有価証券 | 8,160 | | 純資産の部　合計 | 61,792 |
| 資産 | 4,800 | | | |
| 社債発行費 | 4,800 | | | |
| 合計 | 204,480 | | 負債の部、純資産の部　合計 | 204,480 |

| | | |
|---|---|---|
| 売上高 | | 150,000 |
| 売上原価 | | 97,500 |
| 売上総利益 | | 52,500 |
| 販売費及び一般管理費 | | |
| 給与及び賞与 | 22,000 | |
| 広告宣伝費 | 4,000 | |
| 旅費交通費 | 2,500 | |
| 法定福利費 | 2,500 | |
| 賃借料 | 1,800 | |
| 減価償却費 | 1,000 | |
| 消耗品費 | 1,000 | |
| その他 | 450 | 35,250 |
| 営業利益 | | 17,250 |
| 営業外収益 | | |
| 受取利息 | 350 | |
| 受取配当金 | 150 | |
| 雑収入 | 500 | 1,000 |
| 営業外費用 | | |
| 支払利息 | 2,500 | |
| 雑損失 | 1,500 | 4,000 |
| 経常利益 | | 14,250 |
| 特別利益 | | |
| 固定資産売却益 | 3,500 | 3,500 |
| 特別損失 | | |
| 固定資産除却損 | 4,800 | 4,800 |
| 税引前当期純利益 | | 12,950 |
| 法人税等 | | 5,180 |
| 当期純利益 | | 7,770 |

### 損益計算書

➡会社の経営成績が書かれている

➡売上（収益）、費用、利益がわかる

# 3 貸借対照表は、会社の財産がわかる！

## ◆貸借対照表は、左右に分けた書き方をする

　決算書の2つの重要な書類のうち、会社の財政状態が書かれていて、資金（資本）の調達と運用の状況がわかるのが、貸借対照表です。

　実際にどのようなものかは、右ページにサンプルを掲載しました。

　ご覧のとおり、貸借対照表の中身は大きく左と右に分かれています。じつは貸借対照表の書きあらわし方には2種類あり、このように左右に分けた形式を、勘定式といいます。

　もう1つ、左右に分けずに上から下へ並べる、報告式という形式もありますが、私たちが目にする機会が多いのは勘定式のほうです。

　この中には、「科目」として、「現金及び預金」とか「受取手形」などと書かれていますね。この科目は、勘定科目といわれるもので、会社の経理がお金の出し入れを記録するときに用いる「複式簿記」で使われるものと同じです。

下の欄
参照

　要するに、何のお金かという、名称ですね。科目は、会社によって多少異なることがあります。

詳細は
P.86

## ◆別名を「バランス・シート」という

　会社がビジネスをするには、その元手となるお金が必要です。これが資金、または資本と呼ばれるものです。

　勘定式の左側は、この資金（資本）をどのようにして、いくら運用しているか、資金（資本）の運用形態をあらわします。

　一方、右側は、資金（資本）をどのようにして、いくら調達してきたか、資金（資本）の調達源泉をあらわしています。

　そして、左側の合計額と、右側の合計額は、必ず一致するようになっています。貸借対照表のことを、別名「バランス・シート（Balance Sheet）」といいますが、これは左右の合計金額のバランスがとれていることからついた名称といわれています。略して「B/S（ビー・エス）」ともいいます。

### ▶「複式簿記」って何？

　家計簿では「○月○日　食費　¥3,000」などと書きますね。このように、お金の出し入れのとらえ方や見方が1つだけの記録の仕方が、単式簿記。会社の経理は2つ以上のとらえ方・見方による記録の仕方で、これを複式簿記といいます。

# 実際の貸借対照表を見てみよう

## 貸借対照表
○年○月○日現在

この形式は勘定式です

(単位：万円)

| 科目 | 金額 | 科目 | 金額 |
|---|---|---|---|
| 資産の部 | | 負債の部 | |
| 　流動資産 | 135,240 | 　流動負債 | 118,150 |
| 　　現金及び預金 | 47,334 | 　　支払手形 | 29,630 |
| 　　受取手形 | 20,286 | 　　買掛金 | 59,075 |
| 　　売掛金 | 27,048 | 　　短期借入金 | 14,700 |
| 　　棚卸資産 | 24,372 | 　　未払金 | 8,500 |
| 　　短期貸付金 | 16,200 | 　　その他 | 6,245 |
| 　固定資産 | 64,440 | 　固定負債 | 24,538 |
| 　　有形固定資産 | 38,200 | 　　長期借入金 | 23,000 |
| 　　　建物 | 25,000 | 　　その他 | 1,538 |
| 　　　機械装置 | 6,800 | 　負債の部　合計 | 142,688 |
| 　　　器具備品 | 2,100 | | |
| 　　　車両運搬具 | 4,300 | 純資産の部 | |
| 　　無形固定資産 | 18,080 | 　資本金 | 10,000 |
| 　　　ソフトウェア | 18,080 | 　資本剰余金 | 4,500 |
| 　　投資その他の資産 | 8,160 | 　利益剰余金 | 47,292 |
| 　　　投資有価証券 | 8,160 | 　純資産の部　合計 | 61,792 |
| 　繰延資産 | 4,800 | | |
| 　　社債発行費 | 4,800 | | |
| 資産の部　合計 | 204,480 | 負債の部・純資産の部　合計 | 204,480 |

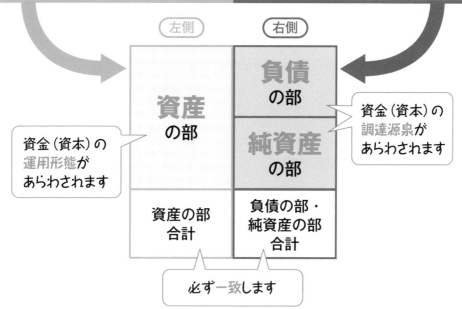

左側　　右側

資産
の部

負債
の部

純資産
の部

資金（資本）の運用形態があらわされます

資金（資本）の調達源泉があらわされます

資産の部合計

負債の部・純資産の部合計

必ず一致します

# 4 損益計算書は、会社の儲けがわかる！

## ◆損益計算書は、１年間の経営成績が書かれている

　決算書でもう１つ、重要な書類が、会社の１年間の経営成績が書かれていて、収益や費用、利益がわかる、損益計算書です。

　実際にどのようなものかは、右ページにサンプルを掲載しました。

　損益計算書は報告式であらわされるのが一般的です。

　損益計算書は、会社が一定期間（たいていは１年間）に、どれだけのお金を稼いだか（収益）、またその収益をあげるために、どれだけのお金を使ったか（費用）を明らかにします。

　そして、収益から費用を差し引いた残りの額が、プラスであれば会社が儲けた利益となり、マイナスならば損失となります。

　　　〈収益 − 費用 ＝ 利益（マイナスの場合は損失）〉

詳細は
P.14

## ◆収益、費用、利益があらわされている

　例えば、右ページのサンプルに書かれている、「売上高」や「営業外収益」などは、会社が稼いだお金、つまり収益です。

　また「売上原価」や「販売費及び一般管理費」などは、会社が使ったお金、費用にあたります。

　そして、「売上総利益」や「営業利益」などは、会社が儲けたお金、利益です。

　なお、利益には性格の違う５つの種類があるのですが、詳しくはあとで学びましょう。

　損益計算書は、英語で「プロフィット・アンド・ロス・ステイトメント（Profit and Loss Statement）」といい、略して「P/L（ピー・エル）」ともいいます。

詳細は
P.38

### ▶勘定式の損益計算書は？

　損益計算書は報告式が一般的ですが、左右に分けて書く勘定式であらわすこともあります。その場合は、まず左側には、売上原価などさまざまな「費用」を上に書き、その一番下に「当期純利益（赤字なら当期純損失）」を書きます。一方、右側には、売上高などの「収益」を書きます。

# 実際の損益計算書を見てみよう

## 損益計算書

自○年○月○日　至○年○月○日

(単位：万円)

この形式が報告式です

| | | |
|---|---:|---:|
| 売上高 | | 150,000 |
| 売上原価 | | 97,500 |
| 売上総利益 | | 52,500 |
| 販売費及び一般管理費 | | |
| 給与及び賞与 | 22,000 | |
| 広告宣伝費 | 4,000 | |
| 旅費交通費 | 2,500 | |
| 法定福利費 | 2,500 | |
| 賃借料 | 1,800 | |
| 減価償却費 | 1,000 | |
| 消耗品費 | 1,000 | |
| その他 | 450 | 35,250 |
| 営業利益 | | 17,250 |
| 営業外収益 | | |
| 受取利息 | 350 | |
| 受取配当金 | 150 | |
| 雑収入 | 500 | 1,000 |
| 営業外費用 | | |
| 支払利息 | 2,500 | |
| 雑損失 | 1,500 | 4,000 |
| 経常利益 | | 14,250 |
| 特別利益 | | |
| 固定資産売却益 | 3,500 | 3,500 |
| 特別損失 | | |
| 固定資産除却損 | 4,800 | 4,800 |
| 税引前当期純利益 | | 12,950 |
| 法人税等 | | 5,180 |
| 当期純利益 | | 7,770 |

この稼ぎが本業でいう「売上」

この2つが本業でいう「コスト」

最終的に会社に残った「利益」

## 損益計算書に書かれている3つの要素

| 稼いだお金 | | 使ったお金 | | 儲けたお金 |
|:---:|:---:|:---:|:---:|:---:|
| **収益** | − | **費用** | = | **利益** |
| 売上高、営業外収益など | | 売上原価、販売費及び一般管理費など | | 売上総利益、営業利益など |

# 5 決算書を見ると、何がわかるの？

## ◆いくら稼いで、いくら儲けたのかがわかる

　決算書は、会社の「成績表」です。それでは、この成績表を見て、どのようなことがわかるのでしょうか。

　例えば、損益計算書。まず注目すべきは、売上の額です。会社が1年間のビジネスでどれだけ稼いだのか。それは前期や過去の期と比べて、どれだけ増減したのか。あるいは、同業他社と比べてどうか、など。

　そして、損益計算書で一番大切なのは、利益の額です。

　儲かっているのか、いないのか。儲かっているのなら、いくら儲かったのか。売上に対する儲けの割合、つまり利益率とともに、前期や過去の期と比べてどう推移しているか、同業他社と比べてどうか、などをチェックします。もしも利益が減っていれば、その原因は売上減によるものか、それとも費用がかかりすぎているためか、なども読み取れます。

## ◆借金はどれくらいか、倒産の危険はないか

　一方、貸借対照表には、会社がビジネスをするために必要な資金を、どのようにして、いくら集めてきたか。そして、その資金をいまどのように使っているかが、示されています。

　ここで見るべきポイントの1つは、負債の額の増減です。

詳細は
P.28

　会社が売上や利益を伸ばすには、設備投資や研究開発、販売促進などに、どうしてもお金がかかります。このお金の一部を、多くの会社では銀行などの外部から借金をしてまかなっています。事業を盛んにするためには、借金はある程度必要なことです。ただ、借金をすれば利息を払わなくてはならず、あまり多すぎるのも困りものです。適切な借入れをして、事業が成長しているかどうかを見きわめる必要があります。

　売上や利益のほか、倒産の危険はないか、会社が成長しているかどうかなども、決算書を使って経営分析することでわかってきます。

詳細は
P.52

### ▶決算書が読めると株式投資に役立つ

　株式投資をする人が、「この会社は投資する価値があるかな」と検討する際にも、決算書は大変役立ちます。決算書に書かれた数字を読み解くことで、例えば前年度と比較して稼いだ額（売上）は増えているが、じつは儲けの額（利益）は大幅に減っている、といったことがわかるからです（詳細はP.78以降）。

## 決算書を見るとどのようなことがわかる？

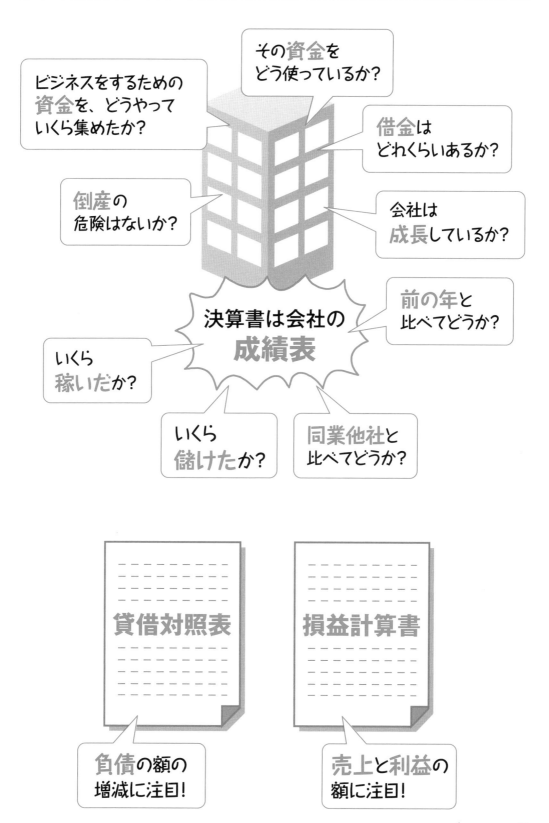

その資金を
どう使っているか？

ビジネスをするための
資金を、どうやって
いくら集めたか？

借金は
どれくらいあるか？

倒産の
危険はないか？

会社は
成長しているか？

決算書は会社の
**成績表**

前の年と
比べてどうか？

いくら
稼いだか？

いくら
儲けたか？

同業他社と
比べてどうか？

貸借対照表

損益計算書

負債の額の
増減に注目！

売上と利益の
額に注目！

# 6 連結決算って どのようなもの？

## ◆親会社の会計に子会社などの会計を加える

　経営の多角化をはかっている、事業規模の大きな会社では、事業ごとに独立した会社があり、これらが親会社を中心として、1つの企業グループを形成しています。例えばトヨタグループならば、トヨタ自動車を中心に、日野自動車、ダイハツ工業など、さまざまなグループ会社があります。

　じつは、トヨタ自動車の決算書は2種類あります。1つは個別決算書で、もう1つは連結決算書です。個別決算書は、トヨタ自動車が単独で行った決算（個別決算）により作成した決算書です。一方、連結決算書とは、トヨタ自動車の会計のほかに、トヨタ自動車を親会社とする子会社、関連会社の会計を加えて、連結決算をして作成した決算書です。つまり、企業グループ全体での業績がわかるようにしたのが、連結決算書です。

　連結決算の対象となる子会社は、親会社からの出資比率が50％を超える会社などです。また、親会社からの出資比率が20～50％未満である、親会社の支配が比較的弱い関連会社は、持分法という方法で連結決算に組み込まれます。

## ◆グループ内の取引は相殺される

　連結決算書の作成手順は、まず親会社が自社の決算書と、連結対象となる各子会社などの決算書から、合算した決算書を作ります。そして、ここからグループ会社間での売上（内部売上）や利益（内部利益）を相殺・消去して、連結決算書ができます。

　これにより、グループ内の取引は相殺されるため、例えば親会社が子会社に製品の在庫を購入させて、親会社に利益が出たように調整しても、連結決算を見ることにより、グループ全体としての業績の実情、実態がつかめるのです。

　連結決算書には、連結貸借対照表、連結損益計算書、連結キャッシュ・フロー計算書などがあります。

### ▶セグメント情報とは？

　連結決算書は企業グループ全体のビジネスの実態はつかめますが、グループを形成する個別の会社の実態は見えにくくなります。そこで「セグメント情報」として、事業の種類別や所在地別での売上や利益なども作成、開示します。

## 連結決算は企業グループを１つの組織とみなす

●個別決算と連結決算

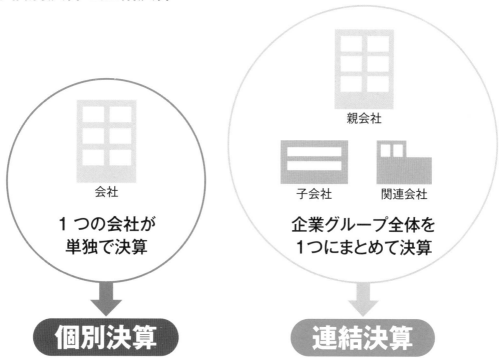

●連結決算書の作成手順

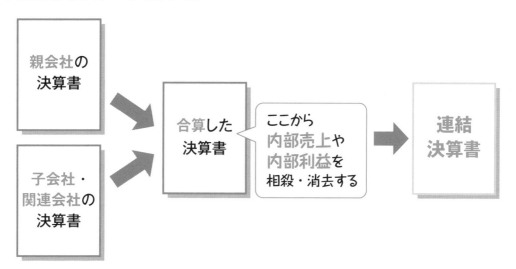

# 「計算書類」「計算書類等」の中身は？

## ◆「計算書類」は4つある

会社法が定める「計算書類」には、貸借対照表、損益計算書のほかに、次の2つの書類があります。

### ●株主資本等変動計算書

貸借対照表の純資産の部が、1年間でどれだけ変動したかをあらわす書類です。英語名は「Statements of Shareholders' Equity」で、「S/S（エス・エス）」と略称されます。

純資産の部の、主に株主資本にあたる資本金、資本剰余金、利益剰余金などが、どのような要因で、いくら増減したのかがあらわされます。

### ●個別注記表

重要な会計方針に関する注記や、貸借対照表、損益計算書などに関する注記が書かれる書類です。

注記が必要となる項目は、株式を公開している上場会社と、非上場会社とでは異なります。

## ◆「計算書類等」という場合は

また、「計算書類等」といういい方をすることがあり、この場合は上記の計算書類のほかに、次のものが含まれます。

### ●事業報告

会社の現況に関する重要な事項等が書かれる書類です。

### ●附属明細書

計算書類や事業報告の内容を、より詳しく書いた書類です。

2章

# 貸借対照表
## はこうなっている

2

# 1 資産、負債、純資産の3つの部でできている

## ◆左側に資産、右側に負債と純資産が書かれている

会社がビジネスをするには、お金、つまり資金が必要です。

この資金を、「どのようにして用意して」「どのように使い」「会社の財政状態が今どうなっているか」をあらわすのが、貸借対照表という決算書です。

貸借対照表を「勘定式」で見てみると、まず大きく左右に分かれていて、さらに3つの部からできていることがわかります。

詳細は
P.14

- 左側……「資産」の部
- 右側……「負債」の部、「純資産」の部

左側に書かれているのは、会社の資金をどこに、どう使ったのか。つまり資金を運用した状態です。

一方、右側に書かれているのは、会社の資金をどこから、どう用意してきたのか。つまり資金を調達した源泉です。

## ◆資産の額は、負債と純資産の合計額と一致する

また、3つの部は、それぞれ次のような内容になっています。

- 「資産」の部…会社が所有する現金・預金や土地・建物、商品、債権などの財産
- 「負債」の部…銀行からの借金や仕入商品の未払代金など、マイナスの財産（他人資本、ともいいます）

詳細は
P.28

- 「純資産」の部…出資者が出した出資金と、蓄積した利益の純粋な財産（自己資本、ともいいます）

詳細は
P.30

そして、この3つの部は、

〈資産＝負債＋純資産〉という関係になっています。

この3つの部が、それぞれどのようなものから成り立っているのか、次項の26ページから詳しく見ていきましょう。

---

### ▶貸借対照表の「貸借」って何のこと？

会社の経理で使われる「複式簿記」では、左側のことを「借方（かりかた）」といい、右側のことを「貸方（かしかた）」といいます。つまり、借方である資産と、貸方である負債と純資産を比較対照したものが、貸借対照表というわけです。

## 左側は資産、右側は負債と純資産

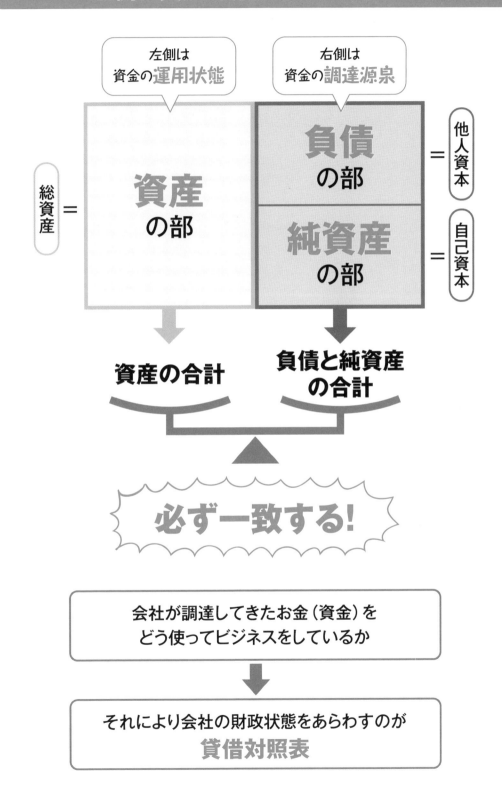

会社が調達してきたお金（資金）を
どう使ってビジネスをしているか

それにより会社の財政状態をあらわすのが
**貸借対照表**

# 2 資産には流動資産、固定資産、繰延資産がある

## ◆現金化しやすいのが、流動資産

　会社の資産とは、現金や預金などのキャッシュだけではありません。ほかにも、つくった製品や仕入れた商品、工場やオフィスで使っている機械やパソコン、会社が所有する土地や建物なども、資産です。

　これらの資産は、貸借対照表では「流動資産」「固定資産」「繰延資産」の3つの種類に分けられます。

　このうち流動資産とは、1年以内に現金化できる資産のことです。これには、次のものがあります。

- 現金・預金、受取手形、売掛金、一時的に所有する有価証券など
  - ……当座資産といいます
    - ※受取手形と売掛金のことを、売上債権ともいいます

詳細は P.34

- 在庫の商品・製品、原材料、仕掛品、半製品など
  - ……棚卸資産といいます
- 短期貸付金、前払費用、未収金、仮払金、前渡金など
  - ……その他の資産といいます

## ◆現金化しにくいのが、固定資産

　一方、1年以内の現金化が困難な資産であり、会社が長期間にわたって所有し、利用する資産が、固定資産です。これには、次のものがあります。

- 土地、建物、機械装置、車両運搬具、工具器具備品など、実物があるもの
  - ……有形固定資産といいます

詳細は P.34

- 特許権、商標権、意匠権、著作権、のれんなど、実物がないもの
  - ……無形固定資産といいます
- 投資有価証券、ゴルフ会員権、子会社株式、関係会社株式※など
  - ……投資その他の資産といいます
    - ※他社を支配する目的で保有する株式

### ▶もう1つの資産は「繰延資産」

　貸借対照表の資産の種類にはもう1つ、繰延資産があります。

　これは本来、お金を払った時（支出した時）に、すべて費用として扱うべきところを、その支出の効果が将来の一定期間に及ぶため、特別に資産として扱うものです。株式交付費、社債発行費、創立費などが該当します。

# 流動資産、固定資産、繰延資産はどのようなもの？

## 貸借対照表

| 資産<br>の部 | 負債<br>の部 |
| --- | --- |
| | 純資産<br>の部 |

資産には3つの
種類があります

債権とは
お金を受け取れる
権利です

| | | |
| --- | --- | --- |
| **流動資産**<br>→1年以内に<br>現金化できるもの<br><br>換金性が高い | 当座資産 | 現金・預金、売上債権（受取手形、売掛金）、一時的に所有する有価証券　など |
| | 棚卸資産 | 在庫の商品・製品、原材料、仕掛品、半製品　など |
| | その他の資産 | 前渡金、短期貸付金、立替金、未収金、仮払金、前払費用　など |
| **固定資産**<br>→1年以内の<br>現金化が困難なもの<br><br>換金性が低い | 有形固定資産 | 土地、建物、機械装置、車両運搬具、工具器具備品　など |
| | 無形固定資産 | 特許権、商標権、意匠権、著作権、のれん　など |
| | 投資<br>その他の資産 | 投資有価証券、ゴルフ会員権、子会社株式、関係会社株式※<br>など |
| **繰延資産**<br><br>換金性がない | | 本来はお金を払った時（支出した時）に、すべて費用として扱うべきところを、その効果が将来の一定期間に及ぶため、特別に資産として扱うもの<br>株式交付費、社債発行費、創立費　など |

※他社を支配する目的で保有する株式

# 3 負債は流動負債と固定負債に分けられる

## ◆流動負債は、仕入債務や銀行からの短期借入など

貸借対照表の右側の、上の部分が負債の部です。

負債とは、会社が株主以外の、外部から調達してきたお金で、将来、返す（支払う）必要があるお金です。わかりやすくいえば、会社の借金ですね。

負債は「他人資本」と呼ぶこともあります。

この負債は、返す期限が1年以内か、それとも1年超かで、大きく2つに分けて考えます。

まず、返済の期限が1年以内にやって来る負債を、流動負債といいます。

早く返さなくてはならない借金、というわけですね。

流動負債には、仕入れた商品の代金などである買掛金や支払手形（この2つを仕入債務といいます。債務とは返さなくてはならない義務のあるお金です）をはじめ、社員に給与・賞与を支払うためや仕入債務を支払うために銀行から借りた借入金などの短期借入金、あるいは未払金や未払費用、前受金、預り金などがあります。

詳細は
P.35

## ◆固定負債は、銀行からの長期借入など

一方、調達してきたお金の返済期限が、1年より先になる負債を、固定負債といいます。

こちらは、比較的のんびりと返せばいい借金です。

固定負債には、ビジネスに必要な土地や建物、工場、機械など、高額な資産を取得するために銀行から借りた借入金などの長期借入金のほか、退職給付引当金などがあります。

詳細は
P.35

### ▶負債となる引当金はどう扱われる？

負債は、将来、支払う必要があるお金ですが、必ずしも払わなくてはならないわけではないものの、払う可能性が高いものを、負債として扱うことがあります。それが、一部の引当金です。例えば退職給付引当金は、社員が退職した時に支払われるので、実際の支払いは1年以上先と考えられるため、固定負債として扱われます。

## 流動負債、固定負債とはどのようなもの？

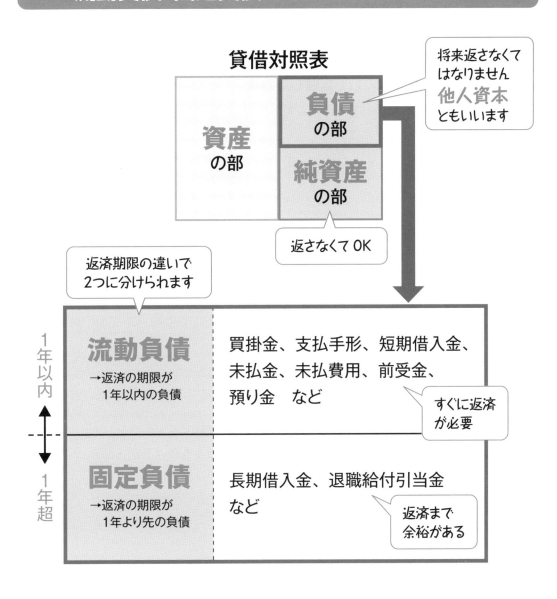

貸借対照表

将来返さなくて
はなりません
他人資本
ともいいます

資産
の部

負債
の部

純資産
の部

返さなくて OK

返済期限の違いで
2つに分けられます

| | | |
|---|---|---|
| 1年以内 | **流動負債**<br>→返済の期限が<br>1年以内の負債 | 買掛金、支払手形、短期借入金、<br>未払金、未払費用、前受金、<br>預り金　など |
| 1年超 | **固定負債**<br>→返済の期限が<br>1年より先の負債 | 長期借入金、退職給付引当金<br>など |

すぐに返済
が必要

返済まで
余裕がある

POINT!

**1年以内に返す借金が**
流動負債
**1年より先に返す借金が**
固定負債

# 4 純資産は、ほぼ株主資本が占める

## ◆純資産は、会社が自分の力で調達したお金

貸借対照表の右側の、負債の部の下にあらわされるのが、純資産の部です。

純資産とは、会社が株主から調達してきたお金や、会社が儲けの一部を内部留保したお金です。

内部留保とは、会社があげた利益のうち、社内に蓄えたお金のことで、社内留保ともいいます。

そのため、純資産は負債とは違い、将来、外部に返す（支払う）必要はありません。

会社が、外部に頼らず、自分の力で調達したお金であることから、純資産のことを「自己資本」ともいいます。

## ◆純資産は、株主資本が中心

純資産のほとんどは、株主資本です。

株主資本には、資本金、資本剰余金、利益剰余金、自己株式などがあります。 下欄を参照

資本金は、出資者が出してくれた出資金のことです。

この出資金をすべて資本金に回さず、予備として蓄えた分が、資本剰余金です。

また、利益剰余金は、会社が得た利益の一部を蓄えておくもの、上記に説明した内部留保などのことです。

純資産にはこのほかに、資産を購入した時の価格と、現在の価格（時価）との差額である、評価・換算差額等や、あらかじめ決められた価格で株式を購入 詳細はP.35

できる権利である、新株予約権などがあります。

---

### ▶純資産の1つ、「自己株式」とは？

自己株式は、会社が市場で取引されている（流通している）自社の株式を取得し、保有したもので、金庫株ともいわれます。近年では、発行済み株式総数を減らすことにより、株価を安定させるといった目的で、自社の株式を取得するケースも見られます。

# 株主資本とはどのようなもの？

## 貸借対照表

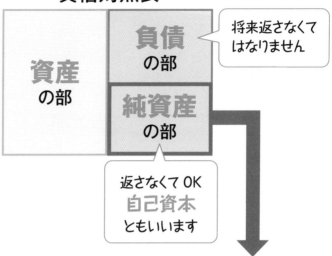

| 資産<br>の部 | 負債<br>の部 |
| | 純資産<br>の部 |

将来返さなくて
はなりません

返さなくて OK
自己資本
ともいいます

| **株主資本**<br>→会社が出資者から調達した資本や<br>ビジネスで得た利益の一部を<br>内部留保したお金 | 資本金、資本剰余金、<br>利益剰余金、自己株式　など |
| **評価・換算差額等** | 資産を購入した時の価格と、<br>現在の価格（時価）との差額 |
| **新株予約権** | あらかじめ決められた価格で株式<br>を購入できる権利 |

POINT!

**純資産のほとんどは**
株主資本

# 5 株主資本、自己資本、純資産の関係は？

## ◆貸借対照表のポイントをつかもう

ここまで、貸借対照表の中身がどうなっているかを見てきました。

ここで、ポイントを整理しておきましょう。

### 貸借対照表はどのようなものか

- 貸借対照表（バランス・シート）は、会社がビジネスをするためのお金を、どうやって集めて、それを今どのように使っているか、資金（資本）の状態をあらわす
- 貸借対照表は、左側（借方）と右側（貸方）に、分けて書かれる
  （借方、貸方という呼び方には、貸す、借りるといった意味はない）
- 左側には資産、右側には負債と純資産が書かれる
  （貸借対照表は、資産、負債、純資産の3つの部でできている）
- 資産の額は、負債と純資産の合計額と一致する
- 右側のうち、負債を他人資本、純資産を自己資本と呼ぶ

詳細は
P.24

## ◆純資産をわかりやすくまとめると…

さて、ここで少しわかりづらいと思われる、純資産の部分を整理しておきましょう。右ページの図を参照してください。

株主資本は、資本金や利益剰余金など、株主が会社に出したお金と、会社がビジネスで得た利益の一部を内部留保したものです。

詳細は
P.30

この株主資本に、評価・換算差額等などを加えたものが、自己資本です。ただし、自己資本のほとんどは、株主資本です。

そして、自己資本に新株予約権などを加えたものが、純資産となります。

### ▶子会社の非支配株主持分とは？

企業グループで、連結決算の対象となる子会社の株主持分のうち、親会社の保有に帰属していない部分を、非支配株主持分といいます。以前は、少数株主持分といいましたが、連結基準の改正により改められました。

## 株主資本、自己資本、純資産の関係

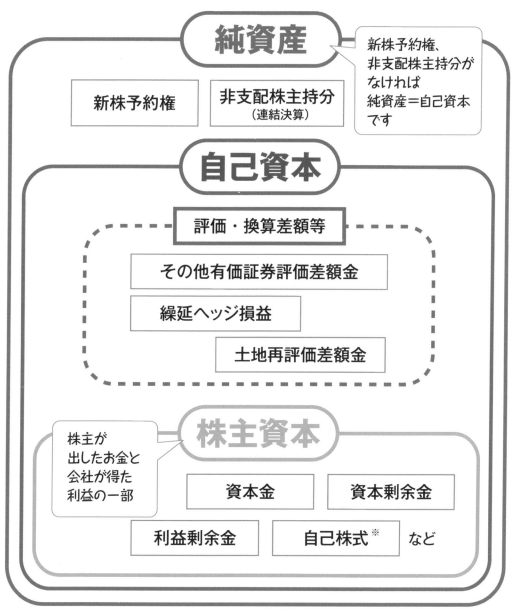

純資産

新株予約権　非支配株主持分（連結決算）

新株予約権、非支配株主持分がなければ純資産＝自己資本です

自己資本

評価・換算差額等

その他有価証券評価差額金

繰延ヘッジ損益

土地再評価差額金

株主資本

株主が出したお金と会社が得た利益の一部

資本金　資本剰余金

利益剰余金　自己株式※　など

※自己株式は、貸借対照表の純資産の部の「株主資本」に対する控除項目となる（マイナス計上される）。

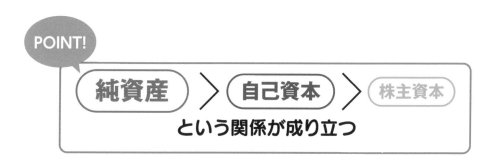

POINT!

純資産 ＞ 自己資本 ＞ 株主資本
という関係が成り立つ

# 6 貸借対照表に出てくる主な科目一覧

※決算書の科目は会社ごとに異なります（P.86参照）

## 資　産

### 流動資産

#### 当座資産

| 現金 | 紙幣や硬貨のほか、すぐに通貨に換えられるもの（小切手など） |
|---|---|
| 預金 | 銀行口座で、利息のつく普通預金や、手形などに使う利息のつかない当座預金、決まった期間預けることを決める定期預金など |
| 受取手形 | 一定の期日に、一定の金額を受け取れる手形 |
| 売掛金 | 商品などを売って、取引先からあとで支払ってもらう金額 |
| 有価証券 | 資金を増やす目的で売買する、他社の株式 |

#### 棚卸資産

| 商品 | 外部から仕入れて販売するもの |
|---|---|
| 製品 | 自社で製造して販売するもの |
| 仕掛品 | 製造している途中で、まだ製品になっていないもの |
| 原材料 | 製品を製造するために購入したもの |

#### その他の流動資産

| 前渡金（前払金） | 商品を受け取る前に支払った手付金などの金額 |
|---|---|
| 短期貸付金 | 取引先や関係会社などに1年以内の短期で貸している金額 |
| 立替金 | 他社などのために立て替えて支払った金額 |
| 未収金（未収入金） | 本業以外のものを売ったとき、あとで支払ってもらう金額 |
| 仮払金 | 何のために使ったか、まだ決まっていない支払金額 |
| 前払費用 | 決算までに計上した費用のうち、当期分ではない金額 |
| 未収収益 | 決算までに計上していない収益のうち、当期分の金額 |

### 固定資産

#### 有形固定資産

| 土地 | 所有する建物や駐車場などのための土地 |
|---|---|
| 建物 | 所有するビルや店舗、倉庫など |
| 機械装置 | 製品をつくるために使う機械など |
| 車両運搬具 | ビジネスをするために買った自動車、トラック、バイクなど |
| 工具器具備品 | 10万円以上で耐用年数※1年以上の工具や備品 |

※耐用年数とは税法で決められた工具や備品などの使用年数のこと

| 固定資産 | | | |
|---|---|---|---|
| | 無形固定資産 | | |
| | | 特許権 | 製品や製造方法などを一定期間、独占的に使える権利 |
| | | 商標権 | 登録により商標を独占的に使える権利 |
| | 投資その他の資産 | | |
| | | 投資有価証券 | 非上場の株式を含む、長期的な投資目的で保有する株式 |
| | | ゴルフ会員権 | 保有するゴルフ会員権 |
| | | 子会社株式 | 子会社が発行した株式で、親会社が保有する株式 |
| | | 関係会社株式 | 他社を支配する目的で保有する株式 |
| 繰延資産 | | | |
| | | 株式交付費 | 新株を発行するためなどに使った金額 |
| | | 社債発行費 | 社債を発行するために使った金額 |
| | | 創立費 | 会社を設立するために使った金額 |

## 負 債

| 流動負債 | | |
|---|---|---|
| | 買掛金 | 商品などを買って仕入れ、取引先にあとで支払う代金の金額 |
| | 支払手形 | 一定の期日に、一定の金額を支払う手形 |
| | 短期借入金 | 銀行や取引先から短期で借りている金額 |
| | 未払金 | 本業以外のものを買った時、あとで支払う金額 |
| | 未払費用 | 決算までに未計上の費用を当期分に計上する金額 |
| | 前受金 | 商品を取引先に渡す前に受け取った金額 |
| | 仮受金 | 何のために受け取ったか、まだ決まっていない金額 |
| | 預り金 | 従業員の給与から差し引いた源泉所得税や住民税など |
| 固定負債 | | |
| | 長期借入金 | 銀行や取引先から長期で借りている金額 |
| | 退職給付引当金 | 従業員が働いている間に積み立てる退職金の見積額 |
| | 社債 | 長期間の資金を調達するために発行した社債の金額 |

## 純資産

| 株主資本 | | |
|---|---|---|
| | 資本金 | 株主からの出資額 |
| | 資本剰余金 | 株主からの出資金のうち資本金に回さなかったものなど |
| | 利益剰余金 | 当期までに生み出した利益のうち内部留保したものの積み重ねなど |
| | 自己株式 | 市場取引されている自社株を取得し保有した金額。金庫株ともいう |
| 評価・換算差額等 | | 資産を購入した時の価格と、現在の価格（時価）との差額 |
| 新株予約権 | | あらかじめ決められた価格で株式を購入できる権利の発行に伴う額 |

# 科目の並び順にはルールがある！

### ◆流動性の高いものが上位に来る

　貸借対照表を見ると、「現金」「預金」「売掛金」など、さまざまな科目が並んでいますね。

　この並び順は、原則として「流動性配列法」というルールに基づいて決められます。

　資産は、現金化（換金）しやすいものほど、流動性が高いとされて、貸借対照表の上のほうに記載されます。

　また負債は、返済期限が短いものほど、流動性が高いとされ、上のほうに記載されるのです。

### ◆会社の安全性をつかむのに都合がいい

　じつは、このように流動性の高いものを上のほうに並べるのは、短期的な会社の支払能力や、資金繰りの状態を見るのに適しているからです。つまり、会社の安全性を素早くつかむのに都合がいいのです。

　ただし、電気、ガスなど、固定資産の多い一部の業種では、この配列法に基づいていないケースがあります。

# 3章

# 損益計算書
## はこうなっている

3

# 1 収益、費用、利益があらわされている

## ◆損益計算書は、１年間のビジネスの「成績表」

　会社が１年間、ビジネスをして、その結果、どれだけ稼ぎ、儲けることができたかをあらわすのが、損益計算書という決算書です。

　つまり、損益計算書は１年間の会社の成績表のようなものですね。

　この損益計算書には、収益、費用、利益の３つが書かれています。

　右ページの損益計算書の構成図は「報告式」で見たものですが、各種の収益や費用、利益が並んでいることがわかります。

詳細はP.14

## ◆収益から費用を差し引いた残りが、利益

　収益とは、会社がビジネスをして、それによって得た収入のことです。

　収益には、売上高、営業外収益、特別利益などがあります。

　この収益を上げるために、会社が支払ったお金が、費用です。

詳細はP.49

　費用には、売上原価、販売費及び一般管理費（販管費）、営業外費用、特別損失などがあります。

詳細はP.48

　そして利益とは、収益から費用を差し引いた残りです（プラスの場合は利益、マイナスの場合は損失となります）。

　計算式では、〈収益 − 費用 ＝ 利益〉ですね。

　じつは、損益計算書であらわされる利益は、段階ごとに全部で５つの種類があり、これを段階利益と呼びます。

　その５つの利益とは、売上総利益、営業利益、経常利益、税引前当期純利益、当期純利益です。

　これらの詳しい内容については、次項の40ページから見ていきます。

### ▶３つの収益、５つの費用、５つの利益

　収益は、売上高、営業外収益、特別利益の3つ。費用は、売上原価、販売費及び一般管理費、営業外費用、特別損失、法人税等の５つ。それに5つの段階の利益が、損益計算書にあらわされています。

## 収益、費用、利益はいろいろある

損益計算書

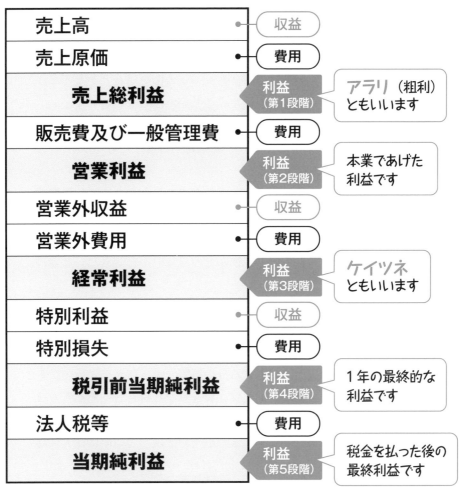

| | |
|---|---|
| 売上高 | 収益 |
| 売上原価 | 費用 |
| **売上総利益** | 利益（第1段階） → アラリ（粗利）ともいいます |
| 販売費及び一般管理費 | 費用 |
| **営業利益** | 利益（第2段階） → 本業であげた利益です |
| 営業外収益 | 収益 |
| 営業外費用 | 費用 |
| **経常利益** | 利益（第3段階） → ケイツネともいいます |
| 特別利益 | 収益 |
| 特別損失 | 費用 |
| **税引前当期純利益** | 利益（第4段階） → 1年の最終的な利益です |
| 法人税等 | 費用 |
| **当期純利益** | 利益（第5段階） → 税金を払った後の最終利益です |

### こんなイメージになります！

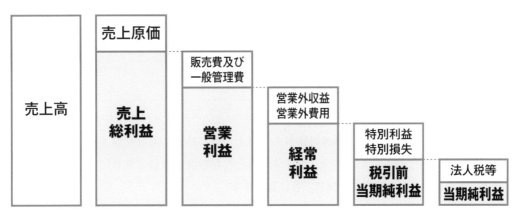

# 2 売上総利益は、1年間で得たアラリ

## ◆売上高は、本業で得た売上の総額

損益計算書にあらわされる5つの利益のうち、一番上に書かれているもの、つまり第1段階の利益が、売上総利益です。右ページの図を見るとわかるように、売上総利益は、売上高から、売上原価を差し引いた、残りの額です。

〈売上総利益＝売上高－売上原価〉

売上高とは、会社が「本業」で得た売上の総額です。「本業」とは「本来、行っている主なビジネス」という意味です。

例えば航空業界なら、お客様や荷物などの運賃が売上にあたります。株取引などの「本業以外の」活動で得た収益は売上高には含まれません。

つまり売上高は、本業で扱っている商品やサービスがどれだけ売れたかを示すものです。そのため、その会社の収益規模がどのくらいかを知りたいときに、一番わかりやすい指標となります。

## ◆売上原価は、売上をあげるのにかかった費用

また、売上原価とは、会社が売上をあげるのにかかった直接的な費用です。

売上原価は、商品や製品の売上に対応する分の原価です。何が売上原価にあたるかは、業種によって異なります。例えば、製造業なら材料費や光熱費のほかに、工場で働く人の人件費も売上原価とみなされますが、販売業では商品の仕入にかかった費用がそれにあたります。また小売業では、当期中に仕入れた商品のうち、当期中に売れた商品の仕入代金だけが、当期の売上原価となり、当期に売れ残った商品の仕入代金は売上原価には含まれません。

要するに、「いくら売り上げた」が売上高で、「商品を仕入れたり、製品をつくるために、いくらかかったか」が売上原価ということです。

なお、小売業などの場合、売上原価の代わりに「仕入高」という科目を使うこともあります。

### ▶「アラリ」は売上総利益のこと

売上総利益は一般的に、アラリ（粗利、粗利益）という呼び方がされます。会社のアラリを知りたいなら損益計算書の一番上（はじめ）にある利益を見ればいいわけですね。ただ、アラリの計算のもととなる売上原価は業界により異なるため、アラリの概念も業界ごとに違います。

# 損益計算書の第1段階の利益が、売上総利益

損益計算書

| 売上高 |
| --- |
| 売上原価 |
| 　売上総利益 |
| 販売費及び一般管理費 |
| 　営業利益 |
| 営業外収益 |
| 営業外費用 |
| 　経常利益 |
| 特別利益 |
| 特別損失 |
| 　税引前当期純利益 |
| 法人税等 |
| 　当期純利益 |

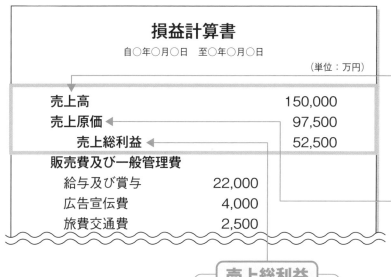

## 損益計算書

自○年○月○日　至○年○月○日

（単位：万円）

| 売上高 | 150,000 |
| --- | --- |
| 売上原価 | 97,500 |
| 　売上総利益 | 52,500 |
| 販売費及び一般管理費 | |
| 　給与及び賞与 | 22,000 |
| 　広告宣伝費 | 4,000 |
| 　旅費交通費 | 2,500 |

**売上高**

製品、商品、サービスを販売した対価です

**売上原価**

売上（高）をあげるためにかかった直接的な費用です

**売上総利益**

売上高から売上原価を差し引いた残りです

POINT!

売上高 － 売上原価 ＝ 売上総利益

という計算式になる

# 3 営業利益は、会社が本業で得た利益

## ◆第2段階の利益は、営業利益

損益計算書にあらわされる、第2段階の利益が、営業利益です。

営業利益は、右ページの図を見てもわかるとおり、売上総利益から、販売費及び一般管理費を差し引いた、残りの金額です。

詳細は
P.40

　　〈売上総利益 − 販売費及び一般管理費 ＝ 営業利益〉

販売費及び一般管理費とは、売上原価以外に、会社が本業で売上をあげるためにかかった費用で、文字どおり、本業での販売活動や、会社のいろいろな管理にかかった費用です。「販管費」と略称で呼ばれることもあります。

詳細は
P.40

## ◆「コスト」の大半は、売上原価と販管費

主な販管費には、次のようなものがあります。

- 人件費（役員の給与、社員の給与や賞与など）
- 広告宣伝費
- 接待交際費
- 旅費交通費
- 法定福利費（会社が負担する社会保険料など）
- 事務所や店舗の家賃、地代（賃借料）
- 減価償却費

このうち、広告宣伝費は販売費にあたり、賃借料や法定福利費などは一般管理費にあたるのですが、販売費と一般管理費を細かく分けて扱うのは手間がかかり、また会社によって異なるため、この2つは合わせて考えるようになっています。

会社が本業を営むためにかかる費用は、大部分が売上原価と販管費で占められます。よく、会社で「コスト削減」といわれますが、主な削減対象となるのは、売上原価と販管費になります。

営業利益は、会社が本業で得た利益、ということになります。

### ▶売上高営業利益率とは……

会社が本業で収益を上げる力を見る指標の1つに、売上高営業利益率というのがあります。これは、営業利益の金額を、売上高の金額で割って計算した数値です（単位は％）。数値が高いほど良好と考えられますが、数値の目安は業界によって異なるので注意しましょう（P.52参照）。

# 損益計算書の第2段階の利益が、営業利益

損益計算書

| 売上高 |
| 売上原価 |
| 売上総利益 |
| 販売費及び一般管理費 |
| 営業利益 |
| 営業外収益 |
| 営業外費用 |
| 経常利益 |
| 特別利益 |
| 特別損失 |
| 税引前当期純利益 |
| 法人税等 |
| 当期純利益 |

## 損益計算書

自○年○月○日　至○年○月○日

（単位：万円）

| 売上総利益 | | 52,500 ⒶＡ |
| 販売費及び一般管理費 | | |
| 　給与及び賞与 | 22,000 | |
| 　広告宣伝費 | 4,000 | |
| 　旅費交通費 | 2,500 | |
| 　法定福利費 | 2,500 | |
| 　賃借料 | 1,800 | |
| 　減価償却費 | 1,000 | |
| 　消耗品費 | 1,000 | |
| 　その他 | 450 | 35,250 Ⓑ |
| 　　営業利益 | | 17,250 Ⓒ（Ⓐ－Ⓑ） |
| 営業外収益 | | |

**売上総利益**

売上高から売上原価を差し引いた残りです
アラリともいいます

**販売費及び一般管理費**

売上原価以外で、会社が本業で売上（高）をあげるためにかかった費用です
販管費ともいいます

**営業利益**

会社が本業で得た利益です

POINT!

| 売上総利益 | － | 販売費及び一般管理費 | ＝ | 営業利益 |

という計算式になる

# 4 経常利益は、一番注目される利益

## ◆営業利益から、営業外の収益・費用を加減する

　損益計算書にあらわされる、第3段階の利益が、経常利益です。

　経常利益は、右ページの図に示したとおり、営業利益に、営業外収益を足して、さらに営業外費用を差し引いた、残りの金額です

詳細は
P.42

　〈営業利益 + 営業外収益 − 営業外費用 = 経常利益〉

　ここでいう「営業外」とは、「本業以外での」という意味です。

　営業外収益とは、会社が本業以外の活動で得た収益のうち、毎期、経常的に（繰り返して）発生するもので、主に次のものがあります。

- 受取利息
- 受取配当金

詳細は
P.49

## ◆一般的にいう利益とは「ケイツネ」のこと

　また、営業外費用とは、会社が本業以外の活動で支払った費用のうち、毎期、経常的に（繰り返して）発生するもので、主に次のものがあります。

- 支払利息
- 社債利息

詳細は
P.49

　営業外収益と営業外費用を合わせたもの、つまり営業外収益から営業外費用を差し引いたものを、営業外損益といいます。

　営業利益に営業外損益を加減したものが、経常利益、俗に「ケイツネ」と呼ばれる利益です。

　一般的に「利益」といえば、この経常利益（ケイツネ）のことを指すほど重要な利益です。

### ▶経常利益はなぜ重視される？

　経常利益は、毎期経常的に得られるであろう利益です。決算書を読んで会社の成績を知りたい人にとっては、本業、副業に関わらず、経常的に得られる利益を知ることが大事なので、経常利益が重視されるのです。

# 損益計算書の第３段階の利益が、経常利益

**損益計算書**

| | |
|---|---|
| 売上高 | |
| 売上原価 | |
| 売上総利益 | |
| 販売費及び一般管理費 | |
| 営業利益 | |
| 営業外収益 | |
| 営業外費用 | |
| 経常利益 | |
| 特別利益 | |
| 特別損失 | |
| 税引前当期純利益 | |
| 法人税等 | |
| 当期純利益 | |

営業外収益から
営業外費用を
差し引いたものを
**営業外損益**
といいます

## 損益計算書

自○年○月○日　至○年○月○日

(単位：万円)

| | | |
|---|---|---|
| 営業利益 | | 17,250 |
| 営業外収益 | | |
| 　受取利息 | 350 | |
| 　受取配当金 | 150 | |
| 　雑収入 | 500 | 1,000 |
| 営業外費用 | | |
| 　支払利息 | 2,500 | |
| 　雑損失 | 1,500 | 4,000 |
| 　経常利益 | | 14,250 |
| 特別利益 | | |

**営業利益**
会社が本業で得た
利益です

**営業外収益**
本業以外の活動で
得た収益です

**営業外費用**
本業以外の活動に
かかった費用です

**経常利益**
会社が本業とそれ以
外の活動により経常
的に得た利益です
**ケイツネ**といいます

**POINT!**

営業利益 ＋ 営業外収益 − 営業外費用 ＝ 経常利益
という計算式になる

# 5 当期純利益には、税引前と税引後がある

## ◆経常利益と特別損益を合算したのが、税引前当期純利益

損益計算書にあらわされる、第4段階の利益が、税引前当期純利益です。

税引前当期純利益は、右ページの図を見てもわかるとおり、経常利益に、特別利益を加えて、さらに特別損失を差し引いた、残りの金額です。

〈経常利益 + 特別利益 − 特別損失 = 税引前当期純利益〉

詳細は
P.44

特別利益、特別損失とは、それぞれ会社の本業以外の活動で、臨時的、偶発的（非経常的）に発生した収益と費用です。

特別利益の主なものには、固定資産売却益があげられます。

また、特別損失には、固定資産や投資有価証券の売却損のほか、自然災害による被害の損失などがあります。

詳細は
P.49

なお、特別利益と特別損失を合わせたもの、つまり特別利益から特別損失を差し引いたものを、特別損益といいます。

## ◆当期の会社の最終的な利益が、当期純利益

さらに、損益計算書にあらわされる、第5段階の利益が、当期純利益です。

当期純利益は、右ページの図に示したとおり、税引前当期純利益から、法人税等を差し引いた、残りの金額です。つまり、「税引後」当期純利益です。

〈税引前当期純利益 − 法人税等 = 当期純利益〉

法人税等は、正しくは「法人税、住民税及び事業税」といい、会社が負担するさまざまな税金のことです。

この当期純利益が、会社が得たすべての収益から、会社が支払ったすべての費用を差し引いた、当期の最終的な利益となります。

### ▶当期未処分利益とは

当期に会社が得た最終的な利益である当期純利益に、前期から繰り越した利益（前期繰越利益）の残高を加えたものが、当期未処分利益です。この一部が、株主への配当金などにあてられて、その残りが内部留保となります。当期の内部留保分は、前期以前の内部留保分と合わせて、貸借対照表の利益剰余金となります。

# 第4段階の利益が、税引前当期純利益、第5段階の利益が、当期純利益

損益計算書

| 売上高 |
| 売上原価 |
| 売上総利益 |
| 販売費及び一般管理費 |
| 営業利益 |
| 営業外収益 |
| 営業外費用 |
| 経常利益 |
| 特別利益 |
| 特別損失 |
| 税引前当期純利益 |
| 法人税等 |
| 当期純利益 |

特別利益と
特別損失を
合わせて
**特別損益**
といいます

**経常利益**

会社が本業とそれ以外の活動
により経常的に得た利益です
**ケイツネ**ともいいます

## 損益計算書

自○年○月○日　至○年○月○日

（単位：万円）

| 雑損失 | 1,500 | 4,000 |
| 経常利益 | | 14,250 |
| 特別利益 | | |
| 固定資産売却益 | 3,500 | 3,500 |
| 特別損失 | | |
| 固定資産除却損 | 4,800 | 4,800 |
| 税引前当期純利益 | | 12,950 |
| 法人税等 | | 5,180 |
| 当期純利益 | | 7,770 |

**特別利益**

本業以外の活動で、
臨時的、偶発的に
得た収益です

**特別損失**

本業以外の活動で、
臨時的、偶発的に
かかった費用です

**税引前当期純利益**

経常利益から、特別損
益を加減した、残りの
利益です

**法人税等**

会社が負担するさ
まざまな税金です

**当期純利益**

当期に会社が得た
最終的な利益です

**POINT!**

経常利益 ＋ 特別利益 － 特別損失 ＝ 税引前当期純利益

税引前当期純利益 － 法人税等 ＝ 当期純利益

という計算式になる

# 6 損益計算書に出てくる主な科目一覧

※決算書の科目は会社ごとに異なります（P.86参照）

| | | | |
|---|---|---|---|
| **収益** | 売上高 | | 本業の商品、製品、サービスを販売した対価の金額 |
| **費用** | 売上原価 | | 売上をあげるのにかかった直接的な費用 |
| | | 期首商品棚卸高 | 資産として繰り越された、前期末の在庫商品の原価 |
| | | 当期商品仕入高 | 当期に仕入れた商品の仕入高 |
| | | 期末商品棚卸高 | 当期末に売れ残り、翌期に繰り越す在庫商品の原価 |
| **利益** | 売上総利益 | | 会社が1年間にあげた儲けの金額。アラリともいう |
| **費用** | 販売費及び一般管理費 | | 売上原価以外で本業の売上をあげるのにかかった費用 |
| | | 役員報酬 | 役員に支払った報酬 |
| | | 給料（給与）手当 | 従業員に支払った給料（給与） |
| | | 賞与 | 従業員に支払ったボーナス |
| | | 退職給付費用 | 従業員が退職した時に支払った退職金 |
| | | 法定福利費 | 従業員の社会保険料など |
| | | 福利厚生費 | 忘年会費や従業員のためのスポーツクラブ利用料など |
| | | 広告宣伝費 | 会社の宣伝のために使う費用 |
| | | 接待交際費 | 取引先を接待した時などに使う費用 |
| | | 販売促進費 | 売上を増やすために使う費用 |
| | | 運送費 | 宅配便などに使う費用 |
| | | 旅費交通費 | 外出や出張の交通機関の費用や従業員の通勤費など |
| | | 水道光熱費 | 水道料金、電気料金、ガス料金など |
| | | 消耗品費 | コピー用紙など事務用品の費用 |
| | | 支払手数料 | 銀行振込する時の手数料など |
| | | 賃借料 | 事務所や土地を借りるために支払った家賃や地代 |
| | | 減価償却費 | 固定資産を耐用年数の間に費用として処理する |
| | | 貸倒引当金繰入 | 見積もった貸倒引当金※を計上する費用（貸倒損失） |
| **利益** | 営業利益 | | 会社が本業で儲けた利益 |

※貸倒引当金とは売掛金などで将来回収できなくなるおそれがある債権の見積額のこと

| | | | |
|---|---|---|---|
| 収益 | 営業外収益 | | 会社が本業以外の活動で得た収益で、経常的に発生するもの |
| | | 受取利息 | 銀行に預けている預金についた利息など |
| | | 受取配当金 | 他社の株を持っている時に受け取った配当金 |
| | | 雑収入 | その他の収入 |
| 費用 | 営業外費用 | | 会社が本業以外の活動でかかった費用で、経常的に発生するもの |
| | | 支払利息 | 銀行から借り入れをしている時に支払った利息 |
| | | 雑損失 | その他の損失 |
| 利益 | 経常利益 | | 会社が本業とその他の活動により経常的に儲けた利益 |
| 収益 | 特別利益 | | 会社が本業以外の活動で臨時的、偶発的に発生した収益 |
| | | 固定資産売却益 | 所有する固定資産を売った時に発生した利益 |
| | | 投資有価証券売却益 | 長期的な投資目的で保有する株式を売った時に発生した利益 |
| 費用 | 特別損失 | | 会社が本業以外の活動で臨時的、偶発的に発生した損失 |
| | | 固定資産売却損 | 所有する固定資産を売った時に発生した損失 |
| | | 投資有価証券売却損 | 長期的な投資目的で保有する株式を売った時に発生した損失 |
| | | 災害損失 | 火災や地震などの災害によって被った損失 |
| 利益 | 税引前当期純利益 | | 経常利益から特別損益を加除した残りの利益 |
| 費用 | 法人税等 | | 会社にかかる税金。法人税、住民税及び事業税 |
| 利益 | 当期純利益 | | 税引前当期純利益から法人税等を差し引いた残りの利益 |

## ▶減価償却とは

　建物や機械設備、器具備品、車両などの会社の資産は、一度限りではなく、長い期間にわたって収益を得るためにビジネスで用いられます。こうした資産を、減価償却資産といいます。

　減価償却資産は、時間の経過によって、その価値を徐々に減らしていきます。そこで、減価償却資産の取得にかかったお金は、資産ごとに法律で定められた期間の間、少しずつ費用として計上していきます。

　この期間を耐用年数といい、計上する費用を減価償却費といいます。

# 国際会計基準に基づく決算書

### ◆IFRS導入の背景に、海外投資家の増加がある

　上場企業の連結決算書の中には、「連結貸借対照表」ではなく、「連結財政状態計算書」となっているものがあります。

　この「財政状態計算書」とは、国際会計基準審議会（IASB）が制定した国際会計基準（国際財務報告基準、IFRS：アイファース）に従って作られる決算書の1つで、日本国内の会計基準による貸借対照表に相当するものです。

　国際会計基準は、主にEU（欧州連合）域内の企業で用いられています。

　これを日本国内の企業が導入する理由の1つは、ビジネスのグローバル化が進展し、海外の投資家が増えていることから、企業の決算も国際会計基準に合わせることで、株主や投資家が会社の財政状態の比較検討をしやすくすることがあります。

### ◆損益計算書にあたるのが、包括利益計算書

　日本基準の貸借対照表と、国際会計基準の財政状態計算書とでは、見た目の様式が異なります。

　また、「流動、固定」の呼称を「流動、非流動」と読みかえたり、各種引当金や研究開発費などの扱いが違うというように、微妙に異なる部分があります。

　また、国際会計基準で損益計算書にあたる決算書を「包括利益計算書」といいます。この決算書では、当期純利益に「その他の包括利益」を合わせて、「包括利益」をあらわします。

# 4章

## 経営分析で
### 会社の数字を読もう

4

# 1 会社が稼げているか、収益性を見てみよう

## ◆資本の面と、取引の面から見る

　経営分析とは、決算書などをもとに、会社の経営成績や財政状態、経営状況に関する情報を得て、問題や改善点などがないかを分析し、検討することです。

　経営分析では、収益性や安全性、成長性、効率性など、さまざまな観点から分析します。まずは、収益性の分析の仕方を見ていきましょう。

　収益性とは、簡単にいうと、会社がどれくらい稼げて、儲けているかです。

　収益性は、主に次の2つの面から見ることになります。

- 会社の資本（資産）をどれだけ活用できているか（資本収益性）
- 取引によってどれだけ売上をあげられているか（取引収益性）

詳細は P.56

## ◆売上高に対する5つの利益の割合を見る

　まず、取引収益性のほうから見ていきましょう。ここで用いる決算書は、損益計算書です。損益計算書には、段階利益があらわされていましたね。その各利益が、売上高を100とした時に、どれくらいの割合になるかが、取引収益性の指標となります。これを総称して、売上高利益率といいます。

詳細は P.38

　その1つが、売上高総利益率（売上総利益率）です。アラリ（粗利益）率ともいいます。売上総利益は、売上高から売上原価（小売業なら商品の仕入原価など、製造業なら製品の材料費や製造に関わる人件費など）を差し引いたもので、これが売上高に占める割合が高いほど、アラリ率の高い、良い数値といえます。計算式は、〈売上総利益÷売上高×100〉で求めます。

　また、売上高に対する、営業利益の割合を示す、売上高営業利益率という指標もあります。

　営業利益は、売上高から売上原価と販管費を差し引いたものですから、売上高営業利益率は、会社が本業だけでどれくらい儲けられているかを見るのに役立つ指標といえます。計算式は、〈営業利益÷売上高×100〉で求めます。

### ▶比率分析と実数分析

　売上高営業利益率など、決算書から割り出した「比率」を使って行う経営分析を、比率分析といいます。また単純に、決算書に書かれている営業利益などの「実数」をもとに行う分析を、実数分析といいます。経営分析では同業他社との比較や、過去の実績との比較などを比率分析や実数分析を用いて行います。

## 取引収益性を見る指標①

損益計算書にあらわされる段階利益が、
それぞれ売上高を100とした時に
どれくらいの割合（%）になるか

➡ 売上高○○利益率

### 売上高総利益率（売上総利益率）

売上高総利益率は、
アラリ（粗利益）率
ともいいます

➡売上高に対する、売上総利益の割合を示す指標

**求める計算式**

売上高総利益率（%）＝
　　　　売上総利益÷売上高×100

### 売上高営業利益率

会社の本業での収益性
を見る指標が
売上高営業利益率です

➡売上高に対する、営業利益の割合を示す指標

**求める計算式**

売上高営業利益率（%）＝
　　　　営業利益÷売上高×100

目安の1つの平均値※は、
製造業で3.4%、卸売業で2.0%、
小売業で2.8%です

※　経済産業省「2021年企業活動基本調査（速報）」による

# 2 収益性を見るための、その他の指標

## ◆売上高に対する、経常利益と当期純利益の割合

前のページで、会社の収益性を分析するための指標を見ましたが、これにはまだつづきがあります。

まず、売上高に対する、経常利益の割合を示す指標が、売上高経常利益率です。

詳細は
P.44

経常利益（ケイツネ）は、営業利益から営業外損益を加減したもので、本業とそれ以外の活動を合わせて、毎期のように得られるであろうビジネスでの当期の儲けです。ですから、売上高経常利益率は、会社の総合的な収益力を見るのに役立つ指標といえます。

詳細は
P.44

計算式は、〈経常利益 ÷ 売上高 × 100〉で求めます。

また、売上高に対する、当期純利益の割合を示す指標が、売上高当期純利益率です。

当期純利益は、すべての収益からすべての費用を差し引いて、最終的に会社に残った利益です。

計算式は、〈当期純利益 ÷ 売上高 × 100〉で求めます。

## ◆販管費の効率の良さを見るための指標

このほか、売上高販管費率も、取引収益性を見る指標の１つです。

詳細は
P.52

販管費とは、売上原価以外に、会社が本業での活動にかかった費用（販売費及び一般管理費）です（中身は業種によって異なります）。

この販管費が、売上高に対してどの程度効率良く使われているかがわかる指標が、売上高販管費率です。

計算式は、〈販管費 ÷ 売上高 × 100〉で求めます。

なお、前のページからここまで見てきた、全部で5つの指標の計算式は、どの利益、あるいは費用を、売上高で割るか、だけの違いになります。

### ▶売上高に対する費用の割合を示す指標

売上高販管費率のように、売上高を100とした時の費用の割合を見る指標には、ほかにも売上高売上原価比率や、売上高研究開発費比率などがあります。研究開発費とは、新しい製品やサービス、製造方法などを生み出すためにかかる費用で、将来のビジネスに関わる重要なコストの１つです。

# 取引収益性を見る指標②

## 売上高経常利益率

売上高経常利益率は
会社の総合的な収益性を
見るための重要な指標です

➡売上高に対する、経常利益の割合を示す指標

**求める計算式**

売上高経常利益率（%）＝
経常利益÷売上高×100

目安の1つの平均値※は、
製造業で6.5%、卸売業で3.4%、
小売業で3.1%です

※　経済産業省「2021年企業活動基本調査（速報）」による

## 売上高当期純利益率

すべての収益から
すべての費用を差し引き
最終的に残った利益が
当期純利益です

➡売上高に対する、当期純利益の割合を示す指標

**求める計算式**

売上高当期純利益率（%）＝
当期純利益÷売上高×100

## 売上高販管費率

これら収益性を見る指標を
過去の実績や同業他社と
比較してみることが大切です

➡売上高に対する、販管費の割合を示す指標

**求める計算式**

売上高販管費率（%）＝
販管費÷売上高×100

目安の1つの平均値※は、
製造業で15.7%、卸売業で10.4%、
小売業で26.0%です

※　経済産業省「2021年企業活動基本調査（速報）」による

# 3 資本の活用の観点から収益性を見てみよう

## ◆資本を効率良く使い、利益を出しているか

前のページまでは、取引によってどれだけ売上をあげられているか（取引収益性）の分析指標を説明しましたが、同じ収益性でも、ここでは会社の資本（資産）をどれだけ活用できているか（資本収益性）の分析指標を見ていきます。

詳細は
P.52

この指標には、まず自己資本利益率（Return on Equity：ROE(アール・オー・イー)）があげられます。

自己資本利益率（または株主資本利益率ともいいます）は、株主が出資したお金を、会社がいかに効率良く使って、利益を得ることができたかを示す指標です。つまり株主から見ると、自分が会社に投資したお金が、どれくらいの収益（リターン）をあげたかを知るための指標といえます。

自己資本利益率の計算は、損益計算書にあらわされる当期純利益と、貸借対照表にあらわされる自己資本（ほぼ株主資本と同じものと考えます）により、次の計算式で求めます。

詳細は
P.46

詳細は
P.30

〈当期純利益 ÷ 自己資本 × 100〉

## ◆投資家から注目される、ROE

自己資本利益率は、近年、株式投資家から注目を集めている指標でもあります。「JPX日経インデックス400」は、このROEを基準の1つとした、新しい株価指数です。

当然、数値は高いほどよいのですが、これはあくまでも株主の資本を上手に使っているかどうかを見る指標であり、株価（銘柄の価格）が割安か、割高かを見る株価指標ではないので注意しましょう。

一般的な話として、日本の会社は、海外の会社と比べてROEの数値が低い、つまり株主が出したお金を効率良く使って利益をあげられていないといわれます。最近では、投資家からROEが注目されだしたことから、ROEを向上させるための努力を、積極的に実施する企業もあらわれています。

### ▶ ROE を向上させる努力とは

ROEを向上させる主な努力は、①業績を向上させて利益を増やす、②自己資本（≒株主資本。ROE計算式の分母にあたる）を小さくする、があります。

②のためには、株式市場に出ている自社株を買い戻して消却する「自社株買い」や、株主への配当を増やす「増配」を行います。どちらも株主優遇策です。

# 資本収益性を見る指標、ROE

## 自己資本利益率とは…

➡ 株主が出資したお金を、会社がいかに効率良く使って、利益を得ることができたかを示す指標

➡ 株主から見ると、自分が会社に投資したお金が、どれくらいの収益（リターン）をあげたかを知ることができる指標

➡ 英語では、
「**ROE**：Return on Equity（アール・オー・イー）」という

➡ 計算式は、

**自己資本利益率（％）＝
当期純利益÷自己資本×100**

### 近年はROEの向上を目指す会社が増えている！

ROE を向上させるには…

**努力1** ➤ 業績を向上させて利益を増やす
**努力2** ➤ 自己資本を小さくする

┗➤ 自社株買い（株式市場から自社株を買い戻して自己株式とする※）
┗➤ 増配（株主への配当を増やす）

※自己株式は、貸借対照表の純資産の部の「株主資本」に対する控除項目となる（マイナス計上される。P33を参照）。

### 注意！

有価証券報告書や決算短信（連結。7章で解説）では、自己資本利益率を次のように扱っています。

①有価証券報告書等では「自己資本利益率」、決算短信では「自己資本当期純利益率」と称している。

②計算式は　　自己資本利益率（％）＝ $\dfrac{当期純利益}{純資産 － 新株予約権 － 非支配株主持分} \times 100$

③決算短信の「自己資本当期純利益率」の計算では、上記の計算式で、分母は期首・期末の平均値を用いている。

# 4

# 借金も含めたすべての資本の活用度を見よう

## ◆自己資本以外の資本も含めた収益性を見る

　ROE（自己資本利益率）は、自己資本のみから見た収益性を見るものでしたが、自己資本に、他人資本を加えて、会社のすべての資産（総資本、総資産）が、どれくらい効率良く運用され、利益を生み出したかを見るのが、総資産利益率（Return on Asset：ROA(アール・オー・エー)）です。

詳細は
P.56

詳細は
P.24

　貸借対照表を見るとわかるとおり、左側の総資産の額は、右側の総資本の額（資本の総額＝他人資本＋自己資本）と同じなので、総資本利益率といういい方もされます。

　総資産利益率（ROA）を求める計算式は、次のとおりです。

　　〈当期純利益[※1] ÷ 総資産[※2] × 100〉

　　　※1　当期純利益の代わりに経常利益などをあてはめて計算するケースもあります

　　　※2　総資産は、貸借対照表の「資産の部」の「資産合計」

## ◆会社の借金は一概に悪いとはいえない

　総資産利益率（ROA）は、日本国内の会社では5％程度が1つの目安といわれ、10％前後あれば経営状態は良好と考えられます。

　なお、このROAとROEは、関係性が深いので、一緒に見るようにしましょう。

　見るときの注意点は、ROAで見る総資産（総資本）には、借金（負債）が含まれていることです。例えばROEは高いのに、ROAが低いケースでは、会社が自己資本を効率良く使って稼げている一方で、大きな借金があることを意味します。

　ただ、会社の経営にとって、借金は決して悪いことばかりではありません。借金をして設備投資や研究開発などを行い、成長に結びつけている会社もたくさんあります。そのため、基本的にROAの数値は高いほどよいと考えられますが、それがどんな内容かを注意して見る必要があります。

### ▶ ROA を計算するには

　ROAを求める時は、当期純利益の代わりに経常利益や営業利益を分子において計算することもあります。またROAを厳密に算出するには、事業利益(EBIT)というものを総資産で割る計算を行います。

# 資本収益性を見る指標、ROA

## 総資産利益率とは…

➡会社のすべての資産（総資本、総資産）が、どれくらい効率良く運用され、利益を生み出したかを見る指標

➡英語では、
「**ROA：Return on Asset（アール・オー・エー）**」という

➡計算式は、

**総資産利益率（％）＝**
**当期純利益**[※1] **÷ 総資産**[※2] **×100**

※1　当期純利益の代わりに経常利益などをあてはめて計算するケースもある
※2　総資産は、貸借対照表の「資産の部」の「資産合計」

## ●ROEとROAはどう違うか？

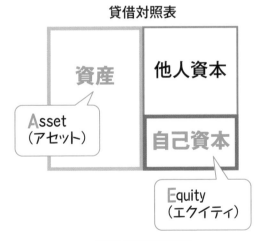

貸借対照表

資産
他人資本
自己資本

Asset（アセット）
Equity（エクイティ）

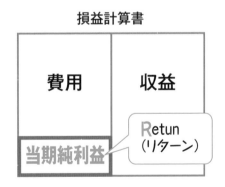

損益計算書

費用
収益
当期純利益

Retun（リターン）

**ROEは**
自己資本に対する
当期純利益の割合

**ROAは**
総資産
（総資本＝自己資本＋他人資本）
に対する当期純利益の割合

# 5 倒産の心配はないか、安全性を見てみよう

## ◆流動比率、当座比率で短期的な安全性を見る

収益性の次は、安全性について見ていきましょう。

ここでいう、会社の安全性とは、簡単にいうと、会社が今、どれだけお金を支払えるか、支払い能力のことです。例えば、会社が借金をしている場合、手もとにお金がなければ、返済が行き詰まってしまいます。安全性のチェックは、倒産しそうな危ない会社を見抜くためにも必要です。

安全性のチェックは、決算書の貸借対照表の数字を使います。

その1つが、流動比率です。これは、1年以内に現金化できる資産である流動資産の額を、1年以内に返済期限がやってくる負債である流動負債の額で割って、計算します。

詳細は
P.26

詳細は
P.28

〈流動比率（％）＝流動資産÷流動負債×100〉

この流動比率は、100％を超えているかが、1つの目安となります。超えていれば、ひとまず安心といえ、もしも超えていなければ、その会社は資金繰りに注意する必要が出てきます。

また、流動資産の中でも、特に手軽に現金化できる流動資産を、当座資産といいます。具体的には、現金・預金、受取手形、売掛金、一時的に所有している有価証券などです。この当座資産と流動負債の比率を、当座比率といいます。これも流動比率とともに、会社の短期的な安全性を見る指標の1つです。

## ◆長期的な安全性は、固定比率をチェックする

また、会社が長期で保有する土地や建物、機械設備などの（有形）固定資産の購入を、外部に返済する必要がある借金に頼らずに、自己資本だけでどれだけまかなっているかを示す指標が、固定比率です。

詳細は
P.26

固定比率は、会社の長期的な安全性を見る指標で、数値は小さいほど安全性が高いといえます。もしも、固定比率が100％を超えている場合は、会社が借金に頼って、土地などの固定資産を購入していることが考えられます。

### ▶自己資本比率は高いほどいい

安全性をチェックするもう1つの指標に、自己資本比率があります。これは、総資産に対して、自己資本（他人資本以外）がどの程度の割合を占めているかをあらわす指標です。自己資本は会社が外部へ返済する必要のないお金なので、この数値が大きいほど安全性は高いといえます。

# 安全性を見る３つの指標

## 貸借対照表

| 流動資産 | 流動負債 |
|---|---|
| **当座資産**<br>現金・預金、売掛金、受取手形、（一時的に所有する）有価証券など<br><br>**棚卸資産**<br>**その他流動資産**<br>短期貸付金、未収金など | 買掛金、支払手形<br>短期借入金、未払金など |
| | **固定負債**<br>長期借入金など |
| **固定資産**<br>土地、建物、機械装置など | **純資産≒自己資本**<br>株主資本、評価・換算差額等、新株予約権など |

## 流動比率

➡ **短期的な安全性**を見る指標

➡ 計算式は、**流動比率（％）＝流動資産÷流動負債×100**

➡ 数値は大きいほど安全性が高い

➡ 100％を超えて、130〜150％くらいあれば安心。逆に100％を下回ると注意が必要

## 固定比率

➡ **長期的な安全性**を見る指標

➡ 計算式は、**固定比率（％）＝固定資産÷自己資本×100**

➡ 数値は小さいほど安全性が高い

➡ 固定比率が100％を超えている場合は、会社が外部へ返さなくてはならない借金を多くして、固定資産を購入していると考えられる

## 当座比率

➡ 計算式は、**当座比率（％）＝当座資産÷流動負債×100**

➡ 数値は大きいほど安全性が高い

# 6 会社が伸びているか、成長性を見てみよう

## ◆売上高と経常利益の伸び率を見る

　1年間のビジネスの成績表が、損益計算書でした。ここにあらわされる数字の中で特に注目されるのは、売上高と経常利益です。

　売上高は、会社が本業で得た売上の総額で、経常利益は、会社が総合的に得た利益の額、でした。

　まず、当期の売上高が、前期の売上高からどれくらい伸びているかを見る指標が、売上高伸び率です。

詳細は
P.40

　〈売上高伸び率（％）＝（当期売上高－前期売上高）÷前期売上高×100〉

　売上高伸び率は、その会社が過去数期にわたってどう推移しているかを見るほか、同業他社と比較することで、会社の成長性をチェックします。

　同様に、当期の経常利益が、前期の経常利益からどれくらい伸びているかを見る指標が、経常利益伸び率です。

　〈経常利益伸び率（％）＝
　　　　（当期経常利益－前期経常利益）÷前期経常利益×100〉

　例えば、会社によっては、売上高は伸びているのに、経常利益は逆に落ち込んでいるといったケースもあります。こうしたことからも、成長性を見る場合は、売上高と経常利益の両方の伸び率をセットでチェックすることが大切です。

## ◆総資本がどれくらい伸びたかを見る

　会社の成長性を、資本の観点から見る指標もあります。それが、総資本増加率です。

　総資本は、貸借対照表にあらわされ、他人資本（負債）と自己資本（純資産）を合わせたものです。資本金の意味ではないので注意してください。

詳細は
P.24

　総資本増加率は、当期の総資本から前期の総資本を差し引いた額を、前期の総資本で割って計算します。

　〈総資本増加率（％）＝（当期総資本－前期総資本）÷前期総資本×100〉

### ▶成長性を見るその他の指標

　会社の成長性を見る指標としては、人件費や研究開発費、設備投資費などに着目して、その伸び率を見る方法もあります。

　例えば人件費に着目すると、〈人件費÷売上高×100〉で計算し、人件費の伸び率が売上高に貢献しているかを見ます。

# 成長性を見る３つの指標

## 売上高伸び率

→損益計算書を見て、当期の売上高が、前期の売上高からどれくらい伸びているかを見る指標

→売上高伸び率 (%) $= \dfrac{当期売上高 － 前期売上高}{前期売上高} \times 100$

→過去数期にわたる推移を見るほか、同業他社と比較して、成長をチェック

## 経常利益伸び率

→損益計算書を見て、当期の経常利益が、前期の経常利益からどれくらい伸びているかを見る指標

→経常利益伸び率 (%) $= \dfrac{当期経常利益 － 前期経常利益}{前期経常利益} \times 100$

## ●売上高と経常利益の伸び率はセットで見る

単位：百万円

|  | ３期前 | ２期前 | 前期 | 当期 |
|---|---|---|---|---|
| 売上高 | 500 | 520 | 530 | 550 |
| 売上高伸び率 | － | ＋4% | ＋1.9% | ＋3.8% |
| 経常利益 | 50 | 30 | 40 | 70 |
| 経常利益伸び率 | － | － 40% | ＋33% | ＋75% |

→売上高は各期とも前の期から微増を続けているが、
経常利益の伸び率には大幅な増減が見られる

→前期と当期は伸び率が上がっているので、
経営の効率化に成功した可能性が高い

## 総資本増加率

→貸借対照表を見て、当期の総資本が、前期の総資本からどれくらい伸びているかを見る指標

→総資本増加率 (%) $= \dfrac{当期総資本 － 前期総資本}{前期総資本} \times 100$

# 7 効率性を、資産（資本）の回転率で見てみよう

## ◆さまざまな資産（資本）の回転率を割り出した指標

会社の資産（資本）が、売上を生み出すのにどれだけ効率良く使われたかを見る指標が、資産回転率です。主なものを見ていきましょう。

まず、1年間の売上が、総資本の何倍にあたるかをあらわす指標が、総資本回転率です。

計算式は、〈総資本回転率＝売上高÷総資本〉です。

総資本回転率の数値が高いほど、会社の資本（資産）が売上を獲得するのに効率良く使われていることになり、逆に数値が低い場合は、資本が売上の獲得に役立っておらず、ムダな資本を投下していると考えられます。

## ◆有形固定資産、棚卸資産、売上債権で見た指標

総資本回転率と同様に、1年間の売上が、有形固定資産の何倍にあたるかをあらわす指標が、有形固定資産回転率です。会社が1年以上所有する土地や建物、機械設備が、売上にどれだけ貢献しているか、ムダな有形固定資産はないかを見る指標です。数値は、低すぎると固定資産への投資が行き過ぎていることになり、逆に高すぎると機械設備などの投資が足りていないことを示します。

詳細はP.26

計算式は、〈有形固定資産回転率＝売上高÷有形固定資産〉です。

また、商品や製品が効率良く販売されているかを見る指標が、棚卸資産回転率です。在庫回転率ともいわれ、計算式は、〈棚卸資産回転率＝売上高（または売上原価）÷棚卸資産〉となります。

棚卸資産回転率は、数値が高いほど、商品や製品が在庫として社内にとどまっている期間が短く、効率良く販売できていることを示します。

さらに、資産（資本）ではなく、債権に着目した効率性の指標が、売上債権回転率です。売上債権とは、受取手形と売掛金のことをいいます。

詳細はP.26

計算式は、〈売上債権回転率＝売上高÷売上債権〉で、要するに、1年間に売上債権がどれだけ支払われたかをあらわす指標です。

### ▶棚卸資産とは何か

棚卸資産とは、簡単にいうと、まだ売れずに社内で抱えている在庫のことです。この在庫は、すぐに販売できる商品・製品だけでなく、半製品や仕掛品、原材料など、まだ商品や製品ではない状態のものも含まれます。棚卸資産は貸借対照表の資産の部にあらわされます。

# 効率性を見る４つの指標

## 総資本回転率

→ １年間の売上が、**総資本の何倍に あたるか**をあらわす指標

→ 会社の事業の効率性を見るための 基本的な指標

→ 一般的に、小さな投資で大きな売 上を上げるほど、効率がよいと考 えられ、総資本回転率は資本に対 して売上が大きいほど高い数値と なり、逆に小さいほど数値は低く なる

→ 総資本＝総資産＝ 負債＋純資産（貸借対照表）

→ 計算式は、 **総資本回転率＝ 売上高÷総資本**

## 有形固定資産回転率

→ １年間の売上が、土地、建物、機 械設備などの**有形固定資産の何倍 にあたるか**をあらわす指標

→ 有形固定資産が売上に貢献してい る度合いをあらわす

→ 数値が高いほど固定資産が有効に 活用されていると考えられるが、 不動産業のように、固定資産を多 く所有する会社は数値が低くなる 傾向がある

→ 計算式は、 **有形固定資産回転率＝ 売上高÷有形固定資産**

## 棚卸資産回転率

→ 商品・製品が**効率良く販売されて いるか**をあらわす指標

→ 数値が高いほど、商品・製品が社 内に滞留している期間が短く、効 率良く販売されていると考えられ る

→ 計算式は、 **棚卸資産回転率＝ 売上高※÷棚卸資産** ※または売上原価

## 売上債権回転率

→ １年間に、**売上債権がどれだけ支 払われたか**をあらわす指標

→ 売上債権とは、受取手形と売掛金 のこと

→ 数値が高いほど、売上債権が効率 良く回収できたと考えられる

→ 計算式は、 **売上債権回転率＝ 売上高÷売上債権**

# 8 必要な利益の目安を見てみよう

## ◆費用には、変動費と固定費がある

　会社がビジネスをして売上を得るためには、何かしらのコスト（費用）がかかります。この費用は、その性格から、大きく変動費と固定費の2つに分けることができます。

- 変動費……発生する額が、売上に比例して、増減する費用
- 固定費……発生する額が、売上に関係なく、一定している費用

　一般的に、変動費には材料費や運送費があり、固定費には人件費や地代家賃があります。ただし、何を変動費とし、固定費とするかは、業種によっても異なります。大まかに考える場合は、損益計算書の売上原価が変動費にあたり、販管費が固定費にあたるとすればいいでしょう。

詳細は P.40

詳細は P.42

　売上高から、この変動費と固定費を差し引いた残りが、利益です。

　つまり、会社の売上高は、費用（変動費と固定費）と利益から成り立っているということができます。

　計算式であらわすと、〈売上高＝変動費＋固定費＋利益〉となります。

## ◆限界利益率が高いほど、利益の割合が大きい

　さて、以上のことを前提として、ここで限界利益という考え方を知っておきましょう。限界利益とは、売上高から変動費を差し引いた残りのことです。計算式では、〈限界利益＝売上高－変動費〉となります。

　つまり、限界利益は、固定費と利益を合わせたもの、といえます。

　売上高に対する限界利益の割合を、限界利益率といいます。売上が増えた時に、そのうちどれだけが利益に結びつくかを示す比率です。限界利益率が高いほど、売上が増えた時に、利益の割合が大きいことになります。

　計算式は、〈限界利益率（％）＝限界利益÷売上高×100〉となります。

### ▶損益分岐点とは何か

　右ページの下図に示したように、費用（固定費と変動費）のラインと、売上高のラインが交わる点を、損益分岐点（または損益分岐点売上高）といいます。

　売上高＝費用となり、利益はゼロですが、費用だけはまかなえる売上高を示します。

# 限界利益と損益分岐点

## ●限界利益とは何か

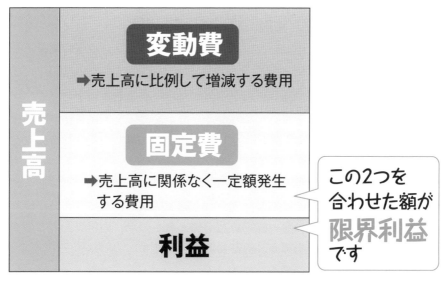

売上高＝費用（変動費＋固定費）＋利益

## ●損益分岐点とは

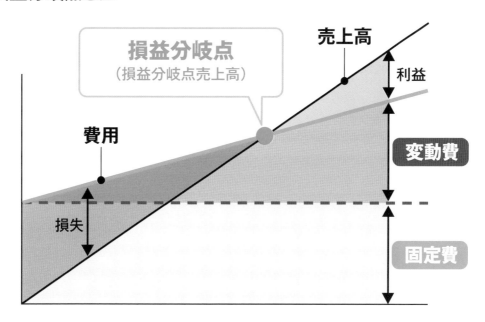

# 安全性を見るための、その他の指標

## ◆長期的な安全性を、実態に即して見る指標

　会社の長期的な安全性を見る指標である固定比率は、固定資産の購入を自己資本だけでどれくらいまかなっているかを示すものでした（P.60参照）。自己資本をモノサシにしたのは、それが外部に返済の必要がないからです。

　ただ、多くの会社は、銀行など外部から借金をして、固定資産の購入にあてているのが現状です。そこで、そうした実態に近い形での安全性を見るために、別の指標があります。

　会社が将来、外部に返済の必要がある負債には、1年以内に返済期限がくる流動負債と、1年以上に渡って借りられる固定負債があります。自己資本のほかに、すぐに返す必要のない固定負債を加えたものが、固定資産のどのくらいの割合になるかを示す指標が、固定長期適合率です。

　計算式は、次のとおりです。

　　〈固定長期適合率（％）＝固定資産÷（自己資本＋固定負債）×100〉

　固定長期適合率が100％を超えるということは、固定資産の購入の一部を、流動負債でまかなっていることを意味するため、この場合は資金繰りの状況に注意が必要になります。

## ◆借金の利息を支払う能力を見る指標

　安全性を見る指標には、インタレスト・カバレッジ・レシオもあります。

　会社が銀行などから借入をすると、利息を支払わなくてはなりません。その支払う利息の何倍の利益を得ているかを示すのが、この指標です。つまり、借金の利息の支払い能力（金融費用支払能力）をあらわします。

　計算式は、次のとおりです。

　　〈インタレスト・カバレッジ・レシオ（倍）
　　＝（営業利益＋受取利息・配当金）÷（支払利息・割引料）〉

# 5章

## キャッシュ・フロー
## 計算書って何?

5

# 1 キャッシュ・フローとは、現金の動きのこと

## ◆1年間の現金の収支状況をまとめた決算書

　貸借対照表、損益計算書に加えて、もう1つ、重要な決算書があります。それが、キャッシュ・フロー計算書（C/F：Cash Flow statement）です。この3つの書類のことを、財務3表と呼んでいます。

詳細は
P.24

　貸借対照表は、会社の資金（資本）が今どうなっているかがわかる決算書で、損益計算書は、会社が1年間でどれだけ儲けたかがわかる決算書でした。「キャッシュ・フロー」——ちょっと耳慣れない言葉かもしれませんね。

詳細は
P.38

　ここでいう「キャッシュ」とは、現金・預金のほか、短期の銀行定期など現金に準じるもの（現金同等物）をいいます。また「フロー」とは、その動きのことです。つまり、会社の1年間のキャッシュの動き、収支の状況をまとめた決算書が、キャッシュ・フロー計算書です。会社にどんなお金が、いくら入ってきて、出ていったのか。キャッシュの詳細な動きがわかる決算書です。

## ◆キャッシュがないと会社は資金繰りに苦労する

　会社にとって、手もとにキャッシュがあるかないかは、大問題です。すぐに動かせるキャッシュがなければ、商品、材料の仕入や、外注費の支払い、借入金の返済などが滞ってしまい、資金繰りに影響します。キャッシュ・フロー計算書を見れば、第三者にもその会社がキャッシュを確保できているかどうかを読み取ることができます。

　実際にどのようなものかは、右ページに一例を掲載しました。キャッシュ・フロー計算書は、大きく3つの部分に分かれています。それぞれ、「営業活動によるキャッシュ・フロー（営業C/F）」「投資活動によるキャッシュ・フロー（投資C/F）」「財務活動によるキャッシュ・フロー（財務C/F）」です。

　そして、一番下に書かれているのが「現金及び現金同等物の期末残高」。これが、1年間のビジネスを終えて、決算日（期末）に最終的に残っていたキャッシュの額になります。

### ▶作成義務があるのは上場企業だけ

　キャッシュ・フロー計算書は2000年3月期決算から、上場企業に対してのみ作成が義務づけられました。例えば、損益計算書を見るときちんと利益が出ているのに、会社の手もとにキャッシュがないこともあります。そのため上場企業には実際のキャッシュの動き、状況がわかる決算書が求められたのです。

# キャッシュ・フロー計算書の例を見てみよう

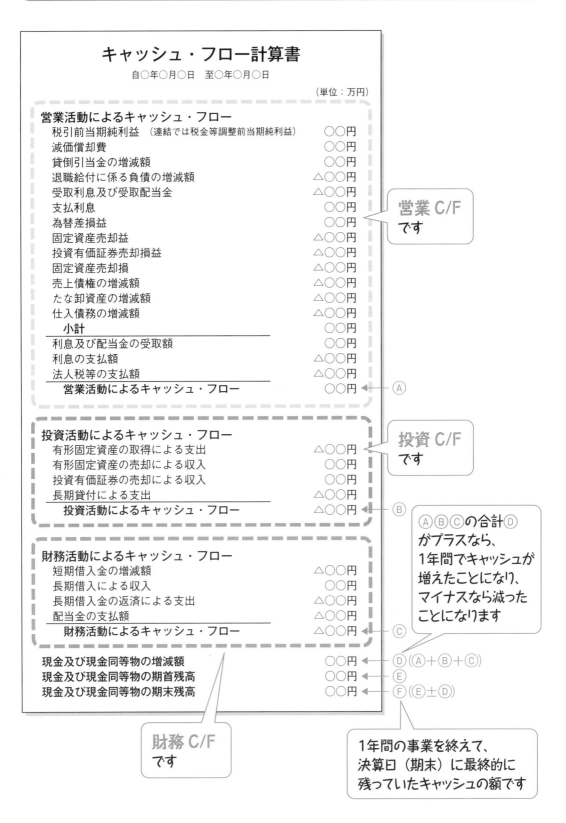

## キャッシュ・フロー計算書
### 自○年○月○日　至○年○月○日

（単位：万円）

**営業活動によるキャッシュ・フロー**
税引前当期純利益　（連結では税金等調整前当期純利益）　　○○円
減価償却費　　○○円
貸倒引当金の増減額　　○○円
退職給付に係る負債の増減額　　△○○円
受取利息及び受取配当金　　△○○円
支払利息　　○○円
為替差損益　　○○円
固定資産売却益　　△○○円
投資有価証券売却損益　　△○○円
固定資産売却損　　△○○円
売上債権の増減額　　△○○円
たな卸資産の増減額　　△○○円
仕入債務の増減額　　△○○円
　小計　　○○円
利息及び配当金の受取額　　○○円
利息の支払額　　△○○円
法人税等の支払額　　△○○円
　営業活動によるキャッシュ・フロー　　○○円　←　Ⓐ

> 営業 C/F
> です

**投資活動によるキャッシュ・フロー**
有形固定資産の取得による支出　　△○○円
有形固定資産の売却による収入　　○○円
投資有価証券の売却による収入　　○○円
長期貸付による支出　　△○○円
　投資活動によるキャッシュ・フロー　　△○○円　←　Ⓑ

> 投資 C/F
> です

**財務活動によるキャッシュ・フロー**
短期借入金の増減額　　△○○円
長期借入による収入　　○○円
長期借入金の返済による支出　　△○○円
配当金の支払額　　△○○円
　財務活動によるキャッシュ・フロー　　△○○円　←　Ⓒ

現金及び現金同等物の増減額　　○○円　←　Ⓓ（Ⓐ＋Ⓑ＋Ⓒ）
現金及び現金同等物の期首残高　　○○円　←　Ⓔ
現金及び現金同等物の期末残高　　○○円　←　Ⓕ（Ⓔ±Ⓓ）

> ⒶⒷⒸの合計Ⓓがプラスなら、1年間でキャッシュが増えたことになり、マイナスなら減ったことになります

> 財務 C/F
> です

> 1年間の事業を終えて、決算日（期末）に最終的に残っていたキャッシュの額です

# 2 営業、投資、財務の3つのキャッシュ・フロー

## ◆キャッシュがどのように、どれだけ増えたかがわかる

　当期中に、キャッシュがどのようにして、どれだけ増えたのか、または減ったのかを、わかりやすくするため、キャッシュ・フロー計算書は次の3つの部分に分けられています。

### ①営業活動によるキャッシュ・フロー（営業C/F）

　ここには、会社が1年間の本業の営業活動で得たキャッシュの増減があらわされています。

詳細は
P.70

　一般的に、営業C/Fはプラスであるほどよいといえます。もしもマイナスの場合は、本業であまり稼げておらず、キャッシュが足りないわけですから、新たな投資はしにくいですし、借入金の返済にも影響が出てきます。

### ②投資活動によるキャッシュ・フロー（投資C/F）

　ここには、会社がビジネスを続けるための、将来に向けた投資によるキャッシュの増減があらわされています。

　例えば、会社がビジネスをするのに必要な、土地や建物、機械装置、車両運搬具などの固定資産を、取得または売却した時のお金の動きです。あるいは、余剰資金の運用として、有価証券を取得または売却した時のお金の動きなどが示されます。

詳細は
P.26

　たいていの会社では、この投資C/Fはマイナスになります。プラスになっている場合は、取得していた固定資産や有価証券などを売却してキャッシュが入ったことを意味します。固定資産が減っていないかなどをチェックしましょう。

### ③財務活動によるキャッシュ・フロー（財務C/F）

　ここには、会社がビジネスや投資活動をするための、資金の調達と返済によるキャッシュの増減があらわされています。

　とくに、資金調達の手段である借入金の増減に注目しましょう。

### ▶大きな数値に着目しよう！

　P.71の例のように、キャッシュ・フロー計算書には科目ごとに詳細な数値が書かれていますが、これらにはあまりこだわる必要はありません。細部よりも、営業C/Fがプラスになっているか、投資C/Fがマイナスかなど、全体に関わる数値に着目しましょう。

## 3つのキャッシュ・フローは何をあらわすか

### キャッシュ・フロー計算書

**営業 C/F**　営業活動による
キャッシュ・フロー

会社が1年間の本業のビジネスで得た
キャッシュの増減をあらわす

➡**プラスであるほどよい**

**投資 C/F**　投資活動による
キャッシュ・フロー

会社がビジネスを続けるための、
将来に向けた投資による
キャッシュの増減をあらわす

➡**たいていはマイナスになる**

（プラスの場合は固定資産の売却などがあった）

**財務 C/F**　財務活動による
キャッシュ・フロー

会社がビジネスや投資活動をするための、
資金の調達と返済による
キャッシュの増減をあらわす

➡**借入金の増減に注目**

# 3 キャッシュ・フロー計算書を見る時のポイント

## ◆通常、営業C/Fはプラス、投資C/Fはマイナスになる

キャッシュ・フロー計算書を見るときは、まず3つのキャッシュ・フローがプラスか、マイナスかに着目します。

まず、本業のビジネスで得たキャッシュの増減をあらわす営業C/Fは、本業で利益が出ているならば、通常はプラスになります。本業に、キャッシュを生み出す力があるわけです。

詳細は
P.70

逆にマイナスだったら、その会社は本業によってキャッシュを失っていることになります。もしもマイナス状態が何期も続くと、キャッシュが減り、資金繰りが苦しくなって、最悪、倒産に至る危険もあります。

また、投資C/Fは、たいていの会社はマイナスになるものです。これは、事業の将来に向けた投資でのキャッシュの増減なので、事業を大きくしようとすれば、必ず設備投資などの出費が必要になるからです。

もしも投資C/Fがプラスの場合は、保有していた機械設備などを売却し、キャッシュを得たことが考えられます。つまり、投資を控え、これまでの投資資金を回収しようとしているのかもしれません。

3つめの財務C/Fは、銀行などから資金調達を行った時にプラスになります。逆にマイナスの場合は、借りていたお金の返済が、新たに借りたお金の額を上回り、財政状態の健全化がはかられていると考えられます。

## ◆営業C/Fのプラスと、投資C/Fのマイナスを比べてみる

次に、3つのキャッシュ・フローを比較してみます。

営業C/Fのプラス分が、投資C/Fのマイナス分よりも多ければ、その会社は本業が生み出すキャッシュの範囲内で、将来に向けた投資ができていることになります。

もしもこれが反対だと、投資C/Fの足りない分は、銀行などからの借金でまかなわなくてはならなくなります。

### ▶営業 C/F 対流動負債比率とは

会社の安全性を見る指標の1つに、営業キャッシュ・フロー対流動負債比率があります。これは文字どおり、流動負債を100とした時の営業C/Fの割合を示す指標で、会社の短期的な支払能力をあらわします。指標の数値が高いほど、返済能力があり、安全性の高い企業と考えられます。

## 3つのキャッシュ・フローの増減に注目！

**営業 C/F**

本業の
ビジネスで得た
キャッシュの増減

通常は
**プラス**になる → 本業にキャッシュを
生み出す力がある

もしも
**マイナス**なら → 本業にキャッシュ
を生み出す力がない

**投資 C/F**

事業の将来に
向けた投資での
キャッシュの増減

たいていは
**マイナス**になる → 将来のための投資が
行えている

もしも
**プラス**なら → 将来のための投資を
控えている？

**財務 C/F**

資金の調達と
返済による
キャッシュの増減

プラスなら → 外部から資金を
調達した

マイナスなら → 借入よりも返済が
上回った

## 営業 C/F と投資 C/F を比べる

| 営業 C/F の プラス分 | ≧ | 投資 C/F の マイナス分 | | 営業 C/F の プラス分 | ＜ | 投資 C/F の マイナス分 |

本業で生み出した
キャッシュの範囲内で、
将来に向けた投資ができている

借金に頼った
投資をしているので、この状態が
長期化している時は注意

# 財務3表は、どうつながっているか？

### ◆財務3表間の接点は？

貸借対照表、損益計算書、キャッシュ・フロー計算書の財務3表は、切り離されたものではなく、つながりをもっています。

例えば、損益計算書の「税引前当期純利益」は、キャッシュ・フロー計算書の営業C/Fの中で、同じく「税引前当期純利益（連結決算では税金等調整前当期純利益）」としてあらわされます（下図①）。

また、損益計算書の「当期純利益」は、その一部が貸借対照表の純資産の部の「利益剰余金」に入ります（下図②）。さらに、キャッシュ・フロー計算書の「現金及び現金同等物の期末残高」は、貸借対照表の資産の部（流動資産）の「現金・預金等」とつながっています（下図③）。

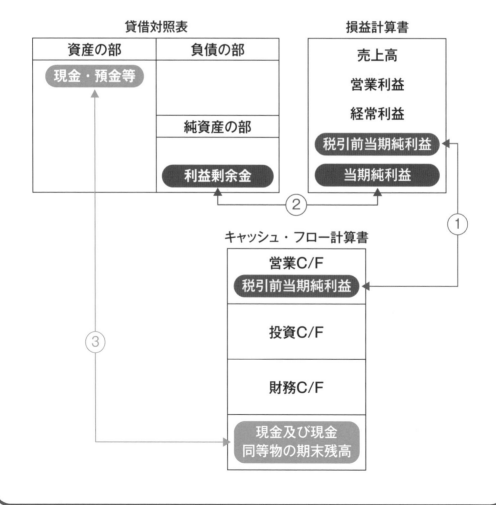

# 6章

決算書を
## 株式投資に役立てよう

6

# 1 決算書の数字は、株取引の参考になる！

## ◆決算書の数字を活用するファンダメンタルズ分析

　株式を上場している企業の決算書を、株式投資の判断材料に役立てている人も少なくありません。決算短信や有価証券報告書に含まれている決算書の数字には、将来の株価の動きを占う情報が、たくさんつまっているからです。

詳細は
P.88

　そこでこの章では、決算書の数字に関わる、さまざまな株価指標について見ていきましょう。

　そもそも、株式の銘柄が「買い時か、売り時か」など、投資価値を判断したり、将来の株価を予測する手法には、大きく分けてファンダメンタルズ分析と、テクニカル分析の2つがあります。

　このうち、ファンダメンタルズ分析とは、決算書や決算短信、有価証券報告書などに記載された数字などの情報から、収益の状況、将来性などを読み取り、株式の投資価値を判断する方法です。ほかにも、為替や金利の動向なども検討材料にします。

　例えば、前期と当期の決算書の数字を見比べて、売上高や経常利益がどう推移したのか、あるいは資産の構成がどう変わったかなどを読み取ることで、その会社の株価が、将来どうなるかをある程度予測することができます。

詳細は
P.44

## ◆収益性、成長性、安定性を見る株価指標

　また、株価指標といって、決算書などにあらわされた数字に着目し、そこから導き出された数値から、会社の収益性や成長性、安定性、あるいは銘柄の割安度などを読み取ることもできます。

　詳しくは次のページから説明していきますが、EPS（1株あたり利益）やPER（株価収益率）、PBR（株価純資産倍率）などが、代表的な株価指標です。

### ▶テクニカル分析とは何か

　株式銘柄の過去の株価の動きに着目して、将来の株価を予測する手法が、テクニカル分析です。株式投資で利益をあげるには、例えばはじめの銘柄選びはファンダメンタルズ分析に重点を置き、その後に売り買いをする時にはテクニカル分析を用いるなど、2つの手法を上手く使い分けるようにします。

## 決算書を使って、株価の先行きを読む

### ファンダメンタルズ分析

➡会社の**決算書の数字**や、**業績**などから、収益の状況、将来性などを読み取り、**株式の投資価値を判断**する方法。ほかにも、為替や金利の動向なども検討材料にする

※一般的にいう「ファンダメンタルズ」とは、経済の基礎的な要件のこと

➡決算書の数値をもとに割り出した、さまざまな**株価指標**を検討する

EPS ： 1株あたり利益 (P.80参照)
PER ： 株価収益率 (P.80参照)
PBR ： 株価純資産倍率 (P.82参照)
そのほか、**配当性向** (P.84参照) など

### テクニカル分析

➡**株価チャート** （ローソク足チャート※など）や、**移動平均線**など、過去の株価のデータを使って、将来の株価や、売買のタイミングなどを予測する方法

※株価の推移をローソクの形でわかりやすくあらわしたもの

POINT!

**ファンダメンタルズ分析は投資信託の商品選びなどでも使われている**

# 2 1株あたり利益（EPS）と 株価収益率（PER）

## ◆収益性を見る株価指標

はじめに知っておきたい株価指標が、1株あたり利益（EPS：Earnings Per Share、イー・ピー・エス）です。

これは文字どおり、1株あたりに換算して、どれだけ利益を得たかという、株式の収益性を見る株価指標です。

この数値を求めるには、損益計算書に出てくる当期純利益の額を、その株式の発行済み株式数で割って計算します。

〈1株あたり利益（EPS、単位は円）＝当期純利益 ÷ 発行済み株式数〉

EPSの数値は、大きいほど株価は上がりやすく、逆に小さいほど株価は下がりやすくなる傾向があります。

また、計算式からもわかるとおり、EPSの数値が大きくなる要因には、①当期純利益が増えるか、②発行済み株式数が減るか、の2つがあります。

詳細は P.46

## ◆割安か、割高かを見る株価指標

このEPSの数値を使って、現在の株価が「割安か、割高か」を見る株価指標があります。それが、現在の株価がEPSの何倍にあたるかをあらわす、株価収益率（PER：Price Earnings Ratio、ピー・イー・アール）です。

計算式は、次のとおりになります。

〈株価収益率（PER、単位は倍）＝現在の株価 ÷ EPS〉

PERは、その株式の業界平均や、同業他社と比較するなどして、現在の株価が割安か、割高かを見ます。

また、上記の計算式から、〈株価＝PER×EPS〉という算式が成り立つので、その株式が「もしもライバル会社のA社並みのPERだった場合」というように、比較の対象を設けることで、その株式の株価の「妥当値」（右ページの解説参照）を見つけ、株式を売り買いするタイミングのヒントにする方法もあります。

### ▶ PER、PBR の目安は？

㈱東京証券取引所では、毎月末の規模別、業種別PER、PBR（P.82参照）をホームページで公表しています。

これによると、例えば2022年5月末時点では、東京証券取引所プライム市場上場企業1,822社の平均で、PERが19.8倍、PBRが1.2倍（単純）となっています。

# EPS、PERを見てみよう

## EPS（1株あたり利益）

➡その株式が、**1株あたり、どれだけ利益を得たか**という、収益性を見る株価指標（単位は、円）

➡計算式は、

**EPS（円）＝当期純利益÷発行済み株式数**

### A社のEPSを計算してみよう

当期純利益→2億円
発行済み株式数→200万株
2億円÷200万株＝100円

A社は、
1株あたり、
約100円の利益
を得た

## PER（株価収益率）

➡その株式の現在の株価が、EPSの何倍に相当するかを見る株価指標（単位は、倍）。株価が割安か、割高かを見るために用いる

➡計算式は、

**PER（倍）＝現在の株価÷EPS**

### 同じ業界の3社のPERを比較してみよう

|  | 株価 | EPS | PER |  |
|---|---|---|---|---|
| A社 | 1,000円 | 100円 | 10倍 | →**中立** |
| B社 | 850円 | 95円 | 8.9倍 | →**割安** |
| C社 | 1,700円 | 150円 | 11.3倍 | →**割高** |

A社を中立と見た場合、
B社株は割安で、
C社株は割高

### PERで株価の妥当値を見つけよう

上記のつづきで、
もしも、現在の株価が割安と見られるB社が、
割高なC社並みのPERだったら…
95円（B社のEPS）×11.3倍（C社のPER）
＝1,073円（B社の株価の妥当値）

この株価を、売買の
タイミングをはかる
モノサシの1つにする

# 3 株価純資産倍率（PBR）で株価の割安、割高を見る

## ◆純資産から株価の値頃感を判断する指標

前のページのPERと同様に、現在の株価が割安か、割高か（値頃感＝株式を売買するのに適当な値段だと思うこと）を見る株価指標に、株価純資産倍率（PBR：Price Book-value Ratio、ピー・ビー・アール）があります。

PERでは、会社の当期純利益を株価判断のモノサシにしましたが、PBRのモノサシは、会社の純資産です。このPBRの数値を求めるには、次のようにします。

詳細は
P.30

まず、貸借対照表にあらわされる純資産の額を、その株式の発行済み株式数で割り、1株あたり純資産額（BPS：Book value Per Share、ビー・ピー・エス）を求めます。

〈BPS（単位は、円）＝純資産額÷発行済み株式数〉

次に、このBPSで、現在の株価を割ります。つまり、現在の株価が、1株あたり純資産額の何倍にあたるかを計算します。

〈PBR（単位は、倍）＝現在の株価÷BPS〉

## ◆PBRの数値が低いほど、株価は割安

さて、このPBRの数値の考え方ですが、例えばPBRが「1倍」の時は、現在の株価と、1株あたり純資産額が、全く同じ額ということになります。

仮に、その会社が今すぐ解散した場合、純資産（中心は自己資本、すなわち株主資本）は、出資した株主に戻るので、PBRが1倍なら、株主は出資したお金がそっくりそのまま戻ってくることになります。

つまり、PBR「1倍」は、現在の株価が、会社の純資産に裏付けられた価格といえるのです。

PBRの数値は、1倍を切って、低いほど、その株式の株価は割安（純資産額に十分裏付けられた価格）ということができます。逆に1倍を超えて、高いほど、株価は割高といえます。

### ▶ PBR、1倍以下が意味するのは？

PBRが1倍以下ということは、いいかえれば、会社の持っている純資産額よりも、株式の時価総額が安いということです。もしもこの時点で会社が解散したら、株主は自分が持っている株式の額よりも、多くのお金が戻ってくる（分配される）ことになるので、株価は割安といえるのです。

# PBRを見てみよう

## BPS（1株あたり純資産額）

➡ 貸借対照表にあらわされる純資産の額を、その株式の発行済み株式数で割った数値

## PBR（株価純資産倍率）

➡ その株式の現在の株価が、BPSの何倍に相当するかを見る株価指標（単位は、倍）。
株価が割安か、割高かを判断するために用いる

**PBRで株価が割安か、割高かを見よう**

1株あたり純資産額（BPS）が1,000円の場合…

| 株価 | BPS | PBR |
|---|---|---|
| 1,500円 | | 1.5倍 |
| 1,000円 | 1,000円 | 1倍 |
| 800円 | | 0.8倍 |

割高

割安

**POINT!**

**PBRの数値は**
1倍を切り、低いほど
**現在の株価は割安といえる**

# 4 株主への利益還元の傾向を示す、配当性向

## ◆株式投資で参考にしたい指標の1つ

　株式投資で、企業を評価する指標の1つに配当性向があります。会社が儲けた利益のうち、株主の配当にどの程度回しているかを示す指標です。

　そもそも「配当（配当金）」とは、会社が投資してくれた株主に対して、利益の一部を分配するものです。その額は株主個々が保有する株式数に応じて決められます。

　では、利益のどれくらいが配当金にあてられているかは、配当性向という指標でわかります。

　配当性向は、1株あたりの配当金の額を、1株あたり利益（EPS）で割って計算します。EPSとは、損益計算書にあらわされる当期純利益の額を、発行済み株式数で割って求める値でしたね。

詳細はP.80

　〈配当性向（単位は、％）＝1株あたりの配当金÷EPS×100〉

　一般的に、配当性向が高ければ、株主への利益還元に積極的な会社（株の銘柄）という見方ができますが、一方で配当性向が高くなる理由にはいろいろあるため、配当性向の高低だけで投資対象としての良し悪しを判断するのは難しい面があります。

## ◆配当金が多くもらえる割安な株式を探す指標

　また配当金が、株主の投資額に対してどれくらいの割合かをあらわすのが、配当利回りです。ですから、これからその株式を買おうと考えている投資家にとっては、1株あたりで受け取れる配当金が、株価の何割にあたるかを知ることができる指標です。計算式は、次のとおりです。

　〈配当利回り（単位は、％）＝1株あたりの配当金÷株価×100〉

　一般的に、配当利回りが高いほど、その株式は割安と考えられ、その逆は割高と見られます。配当利回りと配当金、株価の関係は、右ページの図を参考にしてください。

### ▶配当金はどこから出てくる？

　配当金の元手は、会社が蓄えた剰余金です（利益剰余金と資本剰余金）。配当できる額には制限があり、最終的には株主総会の決議を経て決められます。なお、東京証券取引所に上場している会社の平均配当利回りは、1％強。これは銀行の定期預金などと比べても高い数値です。

# 配当性向、配当利回りを見てみよう

## 配当性向

➡会社が得た利益のうち、どれくらいが株主への配当金にあてられているかをあらわす指標

➡計算式は、

**配当性向（単位は、％）**
**＝1株あたりの配当金÷EPS×100**

> ただし
> 配当性向の高低だけで
> その会社の株式の
> 投資対象としての
> 良し悪しを判断する
> のはむずかしい…

## 配当利回り

➡配当金が、株主の投資額に対してどれくらいの割合かをあらわす株価指標。言い換えると、1株あたりで受け取れる配当金の額が、株価の何割にあたるかをあらわす数値

➡計算式は、

**配当利回り（単位は、％）**
**＝1株あたりの配当金÷株価×100**

〈株価、配当金、配当利回りの関係性〉

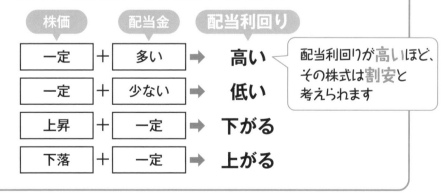

| 株価 | | 配当金 | | 配当利回り |
|---|---|---|---|---|
| 一定 | ＋ | 多い | ➡ | 高い |
| 一定 | ＋ | 少ない | ➡ | 低い |
| 上昇 | ＋ | 一定 | ➡ | 下がる |
| 下落 | ＋ | 一定 | ➡ | 上がる |

> 配当利回りが高いほど、その株式は割安と考えられます

# 決算書の科目は会社ごとに異なる

## ◆取引の内容がわかりやすいようにする

「売上高」や「営業利益」のように、決算書の中で取引の内容をあらわしているのが「科目（勘定科目）」です。

じつはこの科目、どういいあらわすかは、厳密には決められていません。決算書をつくる会社ごとに、微妙に異なっています。

同じような取引であっても、業種や業態によっては、そのやり方や中身が違ってきます。

そのため、「どんなお金の出入りだったのか」がわかりやすいように、科目は各社が自由に設定しています。

例えば損益計算書では、製造業や小売業でいう「売上高」が、サービス業では「営業収益」などとなります。

決算書は、会社の経営者だけでなく、株主、投資家、銀行など、多くの人が見る重要な書類です。そのため科目は、それらの人が見てもわかりやすい表示を、各社で設定しているのです。

7章

# 決算短信
を読んでみよう

7

# 1 上場会社の決算情報がわかる2つの書類

## ◆短信は、ダイジェスト版の決算情報

　証券市場に流通して売買取引される株式を発行する会社、つまり上場会社は、誰でも決算内容の情報がとれるように公開されています。それが、決算短信と、有価証券報告書です。

　まず、決算短信（略称「短信」）は、証券取引所が適時開示のルールに基づき、上場会社に対して発表（開示）を求めている書類です。

　決算短信は、事業年度の終了後に、通期でまとめて作成しますが、そのほかにも、3ヵ月ごとに作成する、四半期決算短信があります。

　情報の中身は、業績などがダイジェストにまとめられていますが、これらは確定したものではなく、推測が入ったおおまかなものです。

　ただ、なんといっても速報性が高いので、特に株式投資家にとっては、売り買いの判断材料として重要な情報となっています。

　1年通期の決算短信は、毎事業年度終了後、45日以内に提出することが適当であるとされており、そのため3月決算の会社が多いわが国では、4月後半から5月の間に短信が発表されることが多くなっています。

## ◆有報は、最終的に確定した決算情報

　一方、有価証券報告書（略称「有報」）は、上場会社に対して、金融商品取引法により提出が義務づけられている書類です。

　こちらは短信とは違い、最終的な決算の情報をもとにまとめられた、確定情報です。当然、短信よりもあとに発表され、毎事業年度終了後、3ヵ月以内に提出しなくてはなりません。3月決算の会社なら、6月に発表されることが多くなっています。

　なお、短信も有報も、それぞれ基本様式が決まっているので、見慣れれば情報を読み取ったり、複数の会社の情報を比べたりするのに便利です。

### ▶短信、有報はどこで見られる？

　決算短信は、東京証券取引所ほか各証券取引所が提供する適時開示情報閲覧サービス（TDNet：ティー・ディー・ネット）で見ることができます。また有価証券報告書は、金融庁がサービスで提供している、EDINET（エディネット）で見ることができます。もちろん、短信、有報とも、各会社のホームページ上に掲載されており、閲覧が可能です。

## 決算短信と有価証券報告書

株主や
株式投資家

自分が投資した会社の経営成績や
財政状態は
どうなっているんだろう…。

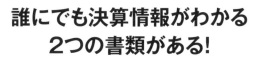

誰にでも決算情報がわかる
2つの書類がある！

### 決算短信
（短信）

**速報性が高い情報**

・証券取引所が、上場会社に対して開示を求める書類

・1年通期のほか、3ヵ月に一度の四半期決算短信がある

・情報の中身は、推測も含めた概要、ダイジェスト

・特に株式投資家にとっては売り買いの判断材料として重要

### 有価証券報告書
（有報）

**確定した情報**

・金融商品取引法により、上場会社に提出が義務づけられている書類

・事業年度終了後、3ヵ月以内が提出の期限

・情報の中身は、最終的な確定情報

# 2 決算短信は、株式投資に役立つ

## ◆短信は、本体と添付資料で構成されている

　最終的な決算情報をまとめたものが、有価証券報告書（有報）です。かたや、予測を折り込んだ概要で、速報性が高いのが、決算短信（短信）です。株式投資家が重要視するのは、短信のほうでしょう。

　短信は、業績や配当の状況、次期の業績予想などが、主に数字で示される「本体」と、経営成績、財政状態、配当に関する分析などが、数値と解説文章をまじえて書かれた「添付資料」で構成されています。

　本体部分は、様式が決まっているので、業績の推移を当期と前期で比較したり、同業他社と比較することが簡単にできます。

## ◆経営成績、財政状態、セグメント別業績などをチェック

　細かい数字や、難しそうな言葉が並ぶ短信ですが、ひとまず次の点に注意して見るといいでしょう。

### ①本体に書かれた数値を読む

「経営成績」に示された売上高、営業利益、経常利益、当期純利益について、当期と前期の数値を比較します。各数値には、前期からの増減率も示されていますので、業績が順調に伸びているか、それとも思わしくないかなどをチェックします。

　また「財政状態」には、総資産の額、純資産の額、自己資本比率、1株あたり純資産額（BPS）なども、増減率とともに示されているのでチェックします。

下欄を参照

詳細はP.82

### ②添付資料に書かれた数値、文章を読む

　全般的な業績のほかに、事業部門別（セグメント別）の業績が示されているので注目しましょう。

　また、「次期の見通し」は、今後の業績の推移を予測するための重要な情報源ですし、「経営方針」には、事業を取り巻く環境や、経営計画の達成状況などが書かれています。

---

### ▶自己資本比率とは

　短信の「財政状態」には「自己資本比率」も出ています。これは、総資産（自己資本＋他人資本）に対する、自己資本（ほとんどが株主資本。P.32参照）の割合を示す指標です。自己資本比率が高いということは、負債（銀行からの借金など）が少ないことであり、一般的には財政状態は健全といえます。

---

## 決算短信は本体と添付資料でできている

サマリー（概要）です

**本体**

→
**業績**
- ・経営成績
- ・財政状態
- ・キャッシュ・フローの状況

**配当の状況**

**次期の業績予想**　　　など

＋

**添付資料**

→
**財務諸表**

**経営成績に関する分析**
- ・当期の概況
  - ・業績全般
  - ・事業部門別（セグメント別）業績
- ・次期の見通し

**財政状態に関する分析**

**経営方針**

**配当の予定**　　　など

**POINT!**

決算短信を読めば
売上や利益、配当の予定のほか
どの部門の業績が伸びているのか
いま直面している経営課題は何か
などもわかる

# 3 イオンモールの決算短信を読み解こう

---

**〈イオンモール㈱〉**

イオングループのモール型ショッピングセンターの開発・運営のほか、不動産売買・仲介等を手がける。2001年6月に現在の称号に変更。千葉県千葉市に本社を置く。モール数は国内外合わせて約200店舗（2022年4月末現在）。当期は国内外のモールで営業時間の短縮や臨時休業を実施したが、連結経営成績は前期比で増収増益となった。

---

## ☑ イオンモールの決算短信をチェック！

▶2022年2月期の営業収益（売上高）Ⓐは3,168億1,300万円で、図のすぐ下にある前期の営業収益2,806億8,800万円と比べて、伸び率Ⓑは12.9％でした。新規に４つのモールをオープンさせたことも寄与しています。

　ただし、ここには書かれていませんが、コロナ禍の影響を受けなかった2020年2月期と比較すると、営業収益は97.7％にとどまっています。

▶営業収益から売上原価と販管費を差し引いた営業利益Ⓒは382億2,800万円で、前期比11.1％のプラスでした。そこから営業外収益・損失を加減した経常利益Ⓓは325億4,000万円と、こちらも前期比14.4％のプラスになりました。

　ただし、2020年2月期と比較すると、経常利益は58.0％にとどまっています。

▶最終損益（親会社株主に帰属する当期純利益Ⓔ）は192億7,800万円の利益となりました。前期18億6,400万円の赤字から黒字に転じています。

▶以上のことを受けて、株主が出資したお金を、会社がいかに効率良く使い、利益を得ることができたかを示す指標である自己資本利益率Ⓕ（決算短信では自己資本当期純利益率と表記）、いわゆるＲＯＥ（P.56参照）は、当期4.9％と前期のマイナスから改善しました。

▶株価の判断基準の１つとなるＥＰＳ（１株あたり当期純利益）Ⓖの数値も、84円72銭と前期のマイナスから改善しています。

▶財政状態を見ると、総資産Ⓗは1兆4,632億5,600万円で、前期から約690億円増加しました。ここには出ていませんが、現金及び預金が約443億円減った一方で、有形固定資産が約911億円増加したことなどが、その主な理由となっています。新規4モールに加え、10モール程度のリニューアルが要因の大きな1つです。

▶連結キャッシュ・フローの状況を見ると、まず営業活動の結果増加した資金Ⓘは614億9,200万円と前期とほぼ変わりませんでしたが、投資活動の結果減少した資金Ⓙは1,223億8,200万円と前期から大きく増えています。これは増床や新規開店に伴う設備代金の支払いや、開発用地の先行取得等で有形固定資産の取得による支出が生じたことによるものです。

# 2022年2月期　決算短信〈日本基準〉（連結）

（百万円未満切捨て）

~~~

## 1.2022年2月期の連結業績（2021年3月1日〜2022年2月28日）

### （1）連結経営成績

<div align="right">（％表示は対前期増減率）</div>

| | 営業収益 | | 営業利益 | | 経常利益 | | 親会社株主に帰属する当期純利益 | |
|---|---|---|---|---|---|---|---|---|
| | 百万円 Ⓐ | ％ Ⓑ | 百万円 Ⓒ | ％ | 百万円 Ⓓ | ％ | 百万円 Ⓔ | ％ |
| 2022年2月期 | 316,813 | 12.9 | 38,228 | 11.1 | 32,540 | 14.4 | 19,278 | － |
| 2021年2月期 | 280,688 | △13.4 | 34,394 | △43.4 | 28,437 | △49.3 | △1,864 | － |

（注）包括利益　2022年2月期　49,755百万円（－％）　2021年2月期　△8,611百万円（－％）

| | 1株あたり当期純利益 | 潜在株式調整後1株あたり当期純利益 | 自己資本当期純利益率 | 総資産経常利益率 | 営業収益営業利益率 |
|---|---|---|---|---|---|
| | 円　銭 Ⓖ | 円　銭 | ％ Ⓕ | ％ | ％ |
| 2022年2月期 | 84.72 | 84.71 | 4.9 | 2.3 | 12.1 |
| 2021年2月期 | △8.19 | － | △0.5 | 2.0 | 12.3 |

（参考）持分法投資損益　2022年2月期　－百万円　2021年2月期　－百万円

（注）前連結会計年度における潜在株式調整後1株当たり当期純利益については、潜在株式は存在するものの1株当たり当期純損失であるため記載しておりません。

### （2）連結財政状態

| | 総資産 | 純資産 | 自己資本比率 | 1株当たり純資産 |
|---|---|---|---|---|
| | 百万円 Ⓗ | 百万円 | ％ | 円　銭 |
| 2022年2月期 | 1,463,256 | 426,931 | 28.5 | 1,830.21 |
| 2021年2月期 | 1,394,199 | 387,486 | 27.1 | 1,658.23 |

（参考）自己資本　2022年2月期　416,455百万円　2021年2月期　377,318百万円

### （3）連結キャッシュ・フローの状況

| | 営業活動によるキャッシュ・フロー | 投資活動によるキャッシュ・フロー | 財務活動によるキャッシュ・フロー | 現金及び現金同等物期末残高 |
|---|---|---|---|---|
| | 百万円 Ⓘ | 百万円 Ⓙ | 百万円 | 百万円 |
| 2022年2月期 | 61,492 | △122,382 | 8,225 | 82,973 |
| 2021年2月期 | 61,621 | △64,444 | 12,244 | 124,080 |

## 2.配当の状況

| | 年間配当金 | | | | | 配当金総額（合計） | 配当性向（連結） | 純資産配当率（連結） |
|---|---|---|---|---|---|---|---|---|
| | 第1四半期末 | 第2四半期末 | 第3四半期末 | 期末 | 合計 | | | |
| | 円　銭 | 円　銭 | 円　銭 | 円　銭 | 円　銭 | 百万円 | ％ | ％ |
| 2021年2月期 | － | 20.00 | － | 20.00 | 40.00 | 9,101 | － | 2.4 |
| 2022年2月期 | － | 25.00 | － | 25.00 | 50.00 | 11,377 | 59.0 | 2.9 |
| 2023年2月期（予想） | － | 25.00 | － | 25.00 | 50.00 | | 49.5 | |

## 3.2023年2月期の連結業績予想（2022年3月1日〜2023年2月28日）

~~~

# 決算書の「素顔」に近づくには？

## ◆数字を眺めただけでは本当の意味はわからない

　上場会社の決算書は、決算短信（短信）や有価証券報告書（有報）で、誰でも読むことができます。決算書には「売上高」などの科目と、当期・前期の数字が並んでいますが、決算書を読み解くとは、これら1つひとつの数字が示す意味や内容をつかみとり、その会社のお金の状況がどうなっているかを知ることです。

　ただ、数字を眺めただけでは、決算書を読み解くことはできません。そのウラにある実際のビジネスがどのように動いたかを読み解く必要があります。

　例えば、損益計算書には会社の売上高がいくらかは書かれていますが、事業別・部門別の売上状況がどうなっているかまではわかりません。また貸借対照表で、前期よりも流動負債の額が増えていたとして、何が原因でそうなったのかは、数字からだけではわかりません。さらに、どのようなビジネスで儲かったのか、あるいは損失が出てしまったのかといった「ストーリー」をヒモづけてこそ、決算書の数字と実際のビジネスの良し悪しを結びつけることができるのです。

　そこで参考にしたいのが、短信なら添付資料の「当期の経営成績・財政状態の概況」、有報なら「企業の概況」「事業の状況」などです。

　有報の場合、「企業の概況」には売上高や経常利益のほか、自己資本比率や自己資本利益率といった主要な経営指標の推移が数年間にわたって書かれていますし、「事業の状況」では貸借対照表や損益計算書をもとに、財政状態、経営成績の詳細な分析が、実際のビジネスにあわせて解説されています。

　決算書を読むときは、これらの情報を参考にすることで、決算書の「素顔」が見えてくるものです。

# 8章

# 最新の決算書
### を読んでみよう

8

# 1 大和ハウス工業の決算書を読もう

> **大和ハウス工業㈱**
> 大手住宅メーカー。賃貸住宅、商業・施設が主力。戸建て住宅や都市開発などにも総合展開。ホテルやスポーツ施設も兼営。

## ●連結貸借対照表

（単位：百万円）

| | 2021年3月期 | 2022年3月期 |
|---|---|---|
| **資産の部** | | |
| 流動資産 | | |
| 　現金預金 | 425,980 | 337,632 |
| 　受取手形・完成工事未収入金等 | 401,314 | 407,430 |
| 　リース債権及びリース投資資産 | 45,411 | 89,875 |
| 　不動産事業貸付金 | 29,088 | 28,473 |
| 　有価証券 | 550 | 7,568 |
| 　未成工事支出金 | 46,866 | 48,516 |
| 　販売用不動産 | 852,678 | 1,068,011 |
| 　仕掛販売用不動産 | 237,659 | 407,869 |
| 　造成用土地 | 3,421 | 3,288 |
| 　商品及び製品 | 17,356 | 17,904 |
| 　仕掛品 | 8,073 | 9,073 |
| 　材料貯蔵品 | 7,557 | 7,746 |
| 　その他 | 292,088 | 277,601 |
| 　貸倒引当金 | △ 13,682 | △ 18,195 |
| 　流動資産合計 | 2,354,364 | 2,692,794 |
| 固定資産 | | |
| 有形固定資産 | | |
| 　建物及び構築物 | 1,164,230 | 1,302,750 |
| 　　減価償却累計額 | △ 510,841 | △ 558,140 |
| 　　建物及び構築物（純額） | 653,389 | 744,610 |
| 　機械装置及び運搬具 | 159,424 | 160,254 |
| 　　減価償却累計額 | △ 94,202 | △ 99,058 |
| 　　機械装置及び運搬具（純額） | 65,222 | 61,196 |
| 　工具、器具及び備品 | 75,280 | 79,847 |
| 　　減価償却累計額 | △ 56,057 | △ 59,773 |
| 　　工具、器具及び備品（純額） | 19,223 | 20,074 |
| 　土地 | 870,822 | 878,851 |
| 　リース資産 | 93,235 | 105,714 |
| 　　減価償却累計額 | △ 17,934 | △ 23,721 |
| 　　リース資産（純額） | 75,300 | 81,993 |
| 　建設仮勘定 | 166,588 | 174,780 |
| 　その他 | 9,641 | 9,733 |
| 　　減価償却累計額 | △ 1,340 | △ 2,174 |
| 　　その他（純額） | 8,300 | 7,559 |
| 　有形固定資産合計 | 1,858,847 | 1,969,066 |
| 無形固定資産 | | |
| 　のれん | 74,046 | 93,895 |
| 　その他 | 61,578 | 77,022 |
| 　無形固定資産合計 | 135,625 | 170,917 |
| 投資その他の資産 | | |
| 　投資有価証券 | 231,490 | 228,794 |
| 　長期貸付金 | 5,284 | 2,255 |
| 　敷金及び保証金 | 251,358 | 251,053 |
| 　繰延税金資産 | 161,458 | 159,203 |

「流動資産合計」が3,384億3,000万円（14.4%）もの大幅増加となりました。
コロナ禍での新しい生活様式の普及を受けて新規住宅取得需要が拡大するとともに、ネット通販が拡大して物流施設への建設需要が広がっている好環境を背景に、事業施設事業を中心に先行投資が積極的に行われています。「販売用不動産」が2,153億3,300万円、「仕掛販売用不動産」が1,702億1,000万円増加しました。

「有形固定資産合計」も1,102億1,900万円（5.9%）増加しました。なかでも「建物及び構築物」の1,385億2,000万円増加が目を引きます。「無形固定資産合計」は「のれん」「その他」ともに大幅に増加し352億9,200万円（26.0%）の増加となりました。

|  |  |  |
|---|---:|---:|
| その他 | 56,447 | 49,282 |
| 貸倒引当金 | △ 1,825 | △ 1,705 |
| 投資その他の資産合計 | 704,214 | 688,884 |
| 固定資産合計 | 2,698,687 | 2,828,868 |
| 資産合計 | 5,053,052 | 5,521,662 |

「投資その他の資産合計」は153億3,000万円（2.2%）減少しています。「資産合計」は4,686億1,000万円（9.3%）の大幅増加となりました。

## 負債の部

### 流動負債

|  |  |  |
|---|---:|---:|
| 支払手形・工事未払金等 | 296,165 | 355,936 |
| 短期借入金 | 124,584 | 151,421 |
| 1 年内償還予定の社債 | 40,000 | 25,000 |
| 1 年内返済予定の長期借入金 | 46,700 | 79,589 |
| リース債務 | 7,576 | 8,810 |
| 未払金 | 129,089 | 121,051 |
| 未払法人税等 | 57,093 | 69,170 |
| 前受金 | 175,978 | 199,824 |
| 未成工事受入金 | 113,186 | 137,977 |
| 賞与引当金 | 53,276 | 56,759 |
| 完成工事補償引当金 | 7,230 | 7,680 |
| 資産除去債務 | 2,568 | 3,140 |
| その他 | 225,407 | 228,229 |
| 流動負債合計 | 1,278,858 | 1,444,592 |

「流動負債合計」は1,657億3,400万円（13.0%）増加しています。開発投資が順調に進んでいることを映し、「支払手形・工事未払金等」597億7,100万円、「短期借入金」268億3,700万円、「前受金」238億4,600万円などの増加が目を引くほか、返済期日の接近を受けて「1年内返済予定の長期借入金」が328億8,900万円増加しました（実質的な短期借入金の一種）。

### 固定負債

|  |  |  |
|---|---:|---:|
| 社債 | 383,000 | 408,000 |
| 長期借入金 | 677,700 | 758,496 |
| リース債務 | 93,780 | 102,731 |
| 会員預り金 | 1,419 | 1,332 |
| 長期預り敷金保証金 | 284,946 | 296,500 |
| 再評価に係る繰延税金負債 | 19,634 | 19,117 |
| 退職給付に係る負債 | 246,059 | 193,753 |
| 資産除去債務 | 53,784 | 55,904 |
| その他 | 120,363 | 129,848 |
| 固定負債合計 | 1,880,689 | 1,965,684 |
| 負債合計 | 3,159,548 | 3,410,277 |

「固定負債合計」は849億9,500万円（4.5%）増加しました。期中に無担保普通社債を新規に発行したため「社債」が250億円増加したほか、「長期借入金」が807億9,600万円増加しています。

## 純資産の部

### 株主資本

|  |  |  |
|---|---:|---:|
| 資本金 | 161,699 | 161,699 |
| 資本剰余金 | 304,595 | 301,982 |
| 利益剰余金 | 1,339,558 | 1,486,900 |
| 自己株式 | △ 33,019 | △ 29,081 |
| 株主資本合計 | 1,772,834 | 1,921,500 |

### その他の包括利益累計額

|  |  |  |
|---|---:|---:|
| その他有価証券評価差額金 | 59,404 | 64,017 |
| 繰延ヘッジ損益 | 10 | △ 860 |
| 土地再評価差額金 | 10,624 | 10,642 |
| 為替換算調整勘定 | △ 7,677 | 24,857 |
| その他の包括利益累計額合計 | 62,361 | 98,657 |
| 新株予約権 | 91 | ― |
| 非支配株主持分 | 58,216 | 91,227 |
| 純資産合計 | 1,893,504 | 2,111,385 |
| 負債純資産合計 | 5,053,052 | 5,521,662 |

収益拡大を背景に「利益剰余金」が1,473億4,200万円増加したため、「株主資本合計」は1,486億6,600万円（8.4%）の増加となりました。
「その他の包括利益累計額合計」も「為替換算調整勘定」の黒字転換などから362億9,600万円増加したため、「純資産合計」は2,178億8,100万円（11.5%）増加の2兆1,113億円と初めて2兆円台に乗りました。
1株当たり純資産も3,081.07円（前期2,805.09円）と3,000円台に乗りました。

## ●連結損益計算書

（単位：百万円）

| | 2021年3月期 | 2022年3月期 |
|---|---|---|
| **売上高** | 4,126,769 | 4,439,536 |
| **売上原価** | 3,299,886 | 3,574,853 |
| **売上総利益** | 826,883 | 864,682 |
| **販売費及び一般管理費** | | |
| 販売手数料 | 19,439 | 23,551 |
| 広告宣伝費 | 28,507 | 25,820 |
| 販売促進費 | 6,250 | 5,702 |
| 貸倒引当金繰入額 | 1,176 | 3,984 |
| 役員報酬 | 3,972 | 4,124 |
| 従業員給料手当 | 176,823 | 186,936 |
| 賞与引当金繰入額 | 32,575 | 33,745 |
| 退職給付費用 | 7,861 | △ 4,246 |
| 法定福利費 | 27,309 | 27,508 |
| 事務用品費 | 15,494 | 19,721 |
| 通信交通費 | 15,943 | 16,942 |
| 地代家賃 | 22,019 | 19,689 |
| 減価償却費 | 10,595 | 12,881 |
| 租税公課 | 33,878 | 39,187 |
| その他 | 67,912 | 65,876 |
| 販売費及び一般管理費合計 | 469,761 | 481,425 |
| **営業利益** | 357,121 | 383,256 |
| **営業外収益** | | |
| 受取利息 | 2,638 | 2,901 |
| 受取配当金 | 4,616 | 4,431 |
| 受取保険金 | 2,888 | 2,277 |
| 補助金等収入 | 3,521 | 3,041 |
| 雑収入 | 6,717 | 13,611 |
| 営業外収益合計 | 20,381 | 26,263 |
| **営業外費用** | | |
| 支払利息 | 10,013 | 13,033 |
| 租税公課 | 1,537 | — |
| 貸倒引当金繰入額 | 4,509 | 1,635 |
| 持分法による投資損失 | 11,553 | 6,810 |
| 雑支出 | 12,058 | 11,793 |
| 営業外費用合計 | 39,672 | 33,273 |
| **経常利益** | 337,830 | 376,246 |

主力事業の中でも戸建て住宅が22%増、事業施設が15%増、マンションが12%増と好調に推移し、トータルでの「売上高」は3,127億6,700万円（7.6%）増加しました。ただ、資材価格の上昇もあって「売上原価」も2,749億6,700万円（8.3%）増加しています。そのため、粗利益を示す「売上総利益」の増加は377億9,900万円（4.6%）にとどまっています。「売上総利益率」は19.5%（前期20%）に低下しました。

「販売費及び一般管理費合計」は116億6,400万円（2.5%）の増加に抑えられ、経費抑制につながっています。「従業員給料手当」は約101億円増加していますが、「広告宣伝費」「販売促進費」などは売上増加にも関わらず減少しています。そのため本業の儲けを示す「営業利益」は261億3,500万円（7.3%）増加しました。ただ、この営業利益には、ここには出ていませんが年金基金の運用益に相当する「退職給付数理差異等償却益」509億8,900万円が含まれており、それを控除した実質営業利益で計算すると、売上高営業利益率は7.5%（同基準による前期の売上高営業利益率は8.0%）となります。

営業外収支は改善しています。「雑収入」が68億9,400万円増加したことで「営業外収益合計」が58億8,200万円増加する一方、前期115億5,300万円計上されていた「持分法による投資損失」が47億4,300万円減少したことで「営業外費用合計」が63億9,900万円減少しました。そのため「経常利益」は384億1,600万円（11.4%）と大幅に増加し、売上高経常利益率は8.5%（前期8.2%）へと向上しました。

| | | |
|---|---:|---:|
| **特別利益** | | |
| 固定資産売却益 | 805 | 2,167 |
| 投資有価証券売却益 | 449 | 1,635 |
| 関係会社出資金売却益 | 1,115 | — |
| 段階取得に係る差益 | — | 3,907 |
| 持分変動利益 | 428 | 788 |
| 新型コロナウイルス感染症による助成金収入 | 1,871 | 379 |
| 新株予約権戻入益 | — | 10 |
| 特別利益合計 | 4,671 | 8,888 |
| **特別損失** | | |
| 固定資産売却損 | 215 | 466 |
| 固定資産除却損 | 1,372 | 1,383 |
| 減損損失 | 21,065 | 24,147 |
| 投資有価証券売却損 | 0 | 880 |
| 投資有価証券評価損 | 656 | 174 |
| 関係会社株式売却損 | 418 | 763 |
| 関係会社出資金売却損 | — | 593 |
| セカンドキャリア支援に基づく退職特別加算金 | — | 2,207 |
| 新型コロナウイルス感染症による損失 | 7,561 | 1,208 |
| その他 | 0 | 8 |
| 特別損失合計 | 31,290 | 31,834 |
| **税金等調整前当期純利益** | 311,210 | 353,300 |
| **法人税、住民税及び事業税** | 109,300 | 123,917 |
| **法人税等調整額** | 573 | 423 |
| **法人税等合計** | 109,873 | 124,341 |
| **当期純利益** | 201,336 | 228,958 |
| **非支配株主に帰属する当期純利益** | 6,260 | 3,686 |
| **親会社株主に帰属する当期純利益** | 195,076 | 225,272 |

「特別利益合計」は42億1,700万円（90.3%）の急増となっています。「段階取得に係る差益」が新たに39億700万円計上されたほか、「固定資産売却益」や「投資有価証券売却益」が増加しています。

「特別損失合計」が小幅な増加にとどまったため、特別利益の増加分がそのまま反映される形となり、「親会社株主に帰属する当期純利益」は301億9,600万円（15.5%）増加しました。

税金等調整後の「親会社株主に帰属する当期純利益」は前期比301億9,600万円（15.5%）増加しました。期中平均発行株式数で割った1株当たり当期純利益は343.82円（前期297.18円）となります。

●科目解説

| | |
|---|---|
| 持分法による投資利益 | 持分法適用会社からあがる利益 |
| 新株予約権戻入益 | 新株予約権が失効した場合、特別利益に振り替えられる |
| 減損損失 | 固定資産の価値が減った際に発生する評価損 |

# 2 日本郵船の決算書を読もう

**日本郵船㈱**

世界第2位の海運大手。海運3社で共同設立したコンテナ船運航会社ONEがコロナ禍による供給制約、ウクライナ危機を背景にした市況高で業績絶好調。

## ●連結貸借対照表

（単位：百万円）

| | 2021年3月期 | 2022年3月期 |
|---|---:|---:|
| **資産の部** | | |
| 流動資産 | | |
| 　現金及び預金 | 107,369 | 233,019 |
| 　受取手形及び営業未収入金 | 234,909 | — |
| 　受取手形、営業未収入金及び契約資産 | — | 359,158 |
| 　有価証券 | 144 | — |
| 　棚卸資産 | 37,619 | 57,029 |
| 　繰延及び前払費用 | 56,438 | 24,152 |
| 　その他 | 104,108 | 94,937 |
| 　貸倒引当金 | △ 2,101 | △ 3,433 |
| 　流動資産合計 | 538,488 | 764,863 |
| 固定資産 | | |
| 　有形固定資産 | | |
| 　　船舶（純額） | 534,378 | 577,147 |
| 　　建物及び構築物（純額） | 109,198 | 105,494 |
| 　　航空機（純額） | 35,838 | 103,683 |
| 　　機械装置及び運搬具（純額） | 26,040 | 27,548 |
| 　　器具及び備品（純額） | 5,303 | 5,979 |
| 　　土地 | 86,912 | 72,722 |
| 　　建設仮勘定 | 44,704 | 65,834 |
| 　　その他（純額） | 5,314 | 5,867 |
| 　　有形固定資産合計 | 847,689 | 964,277 |
| 　無形固定資産 | | |
| 　　借地権 | 4,912 | 5,117 |
| 　　ソフトウエア | 5,768 | 6,135 |
| 　　のれん | 10,190 | 8,711 |
| 　　その他 | 3,408 | 3,637 |
| 　　無形固定資産合計 | 24,279 | 23,602 |
| 　投資その他の資産 | | |
| 　　投資有価証券 | 578,892 | 1,146,438 |
| 　　長期貸付金 | 21,393 | 27,503 |
| 　　退職給付に係る資産 | 60,339 | 85,644 |
| 　　繰延税金資産 | 6,110 | 10,571 |
| 　　その他 | 53,393 | 62,099 |
| 　　貸倒引当金 | △ 5,350 | △ 5,236 |
| 　　投資その他の資産合計 | 714,779 | 1,327,019 |
| 　固定資産合計 | 1,586,748 | 2,314,899 |
| 繰延資産 | 243 | 259 |
| 資産合計 | 2,125,480 | 3,080,023 |

コロナ禍によるサプライチェーンの混乱がつづくなか、世界的な海運市況高を背景に運賃収入が急拡大。「流動資産」のうち「現金及び預金」が1,256億5,000万円の大幅増加。前期比2倍以上になりました。
その他、「受取手形、営業未収入金及び契約資産」の項目が新たに計上され、前期の「受取手形及び営業未収入金」から大幅増加しました。そのため「流動資産合計」は2,263億7,500万円（42％）増加しました。

「固定資産」のうち「有形固定資産合計」が1,165億8,800万円増加しました。
潤沢なキャッシュをもとに航空貨物事業への戦略投資が進められているため「航空機（純額）」が678億4,500万円増加しています。「船舶（純額）」も427億6,900万円、「建設仮勘定」も211億3,000万円増加しています。

「無形固定資産合計」がほぼ横ばいとなっていますが、「投資その他の資産合計」は6,122億4,000万円もの大幅な増加となりました。業績絶好調なONE社の評価額が膨張して「投資有価証券」が5,675億4,600万円増加と倍近い伸びとなったほか、「退職給付に係る資産」が253億500万円増加しています。

「資産合計」は一気に3兆円の大台乗せ。前期と比較すると45％増となり、劇的な変化を遂げています。

## 負債の部

### 流動負債

| | | |
|---|---:|---:|
| 支払手形及び営業未払金 | 168,690 | 218,650 |
| 1年内償還予定の社債 | 25,000 | 30,000 |
| 短期借入金 | 161,045 | 130,919 |
| リース債務 | 19,477 | 23,818 |
| 未払法人税等 | 14,390 | 25,097 |
| 契約負債 | ― | 39,792 |
| 賞与引当金 | 14,063 | 23,188 |
| 役員賞与引当金 | 366 | 517 |
| 株式給付引当金 | 170 | 1,270 |
| 契約損失引当金 | 14,364 | 134 |
| 事業再編関連引当金 | 3 | ― |
| その他 | 124,691 | 79,895 |
| 流動負債合計 | 542,262 | 573,282 |

資産の増加に比べて「負債」は小幅な変化にとどまっています。「流動負債合計」は310億2,000万円（5.7%）増加しました。「支払手形及び営業未払金」が500億円近い増加となりましたが、一方で「短期借入金」の300億円を超す減少、「その他」の約450億円減少などで相殺されました。

### 固定負債

| | | |
|---|---:|---:|
| 社債 | 107,000 | 97,000 |
| 長期借入金 | 560,913 | 447,069 |
| リース債務 | 77,707 | 79,493 |
| 繰延税金負債 | 64,718 | 57,446 |
| 退職給付に係る負債 | 16,697 | 15,907 |
| 役員退職慰労引当金 | 979 | 819 |
| 株式給付引当金 | 551 | ― |
| 特別修繕引当金 | 14,595 | 16,347 |
| 契約損失引当金 | 52,071 | 18,074 |
| 事業再編関連引当金 | 927 | 407 |
| その他 | 19,645 | 15,102 |
| 固定負債合計 | 915,805 | 747,667 |
| 負債合計 | 1,458,068 | 1,320,949 |

「固定負債合計」は1,681億3,800万円（18.4%）の減少となりました。
借入金返済によって「長期借入金」が1,138億4,400万円減少したほか、「社債」が100億円、「契約損失引当金」339億9,700万円それぞれ減少しています。この結果、「負債合計」は1,371億1,900万円（9.4%）減少しました。

## 純資産の部

### 株主資本

| | | |
|---|---:|---:|
| 資本金 | 144,319 | 144,319 |
| 資本剰余金 | 44,214 | 44,314 |
| 利益剰余金 | 444,801 | 1,396,300 |
| 自己株式 | △ 3,381 | △ 3,428 |
| 株主資本合計 | 629,954 | 1,581,506 |

### その他の包括利益累計額

| | | |
|---|---:|---:|
| その他有価証券評価差額金 | 22,004 | 32,136 |
| 繰延ヘッジ損益 | △ 29,187 | △ 15,452 |
| 為替換算調整勘定 | △ 11,365 | 85,785 |
| 退職給付に係る調整累計額 | 13,927 | 29,737 |
| その他の包括利益累計額合計 | △ 4,621 | 132,207 |
| 非支配株主持分 | 42,078 | 45,359 |
| 純資産合計 | 667,411 | 1,759,073 |
| 負債純資産合計 | 2,125,480 | 3,080,023 |

収益急拡大によって「利益剰余金」が実に9,514億9,900万円増加したため、「株主資本合計」は9,515億5,200万円増加し、前期比2.5倍に拡大しました。文字通り飛躍的な変化と言っていいでしょう。
「負債純資産合計」に占める「自己資本（非支配株主持分を控除後の純資産合計）」の比率は55.6%。前期の29.4%から財務内容は大きく好転しました。

## ●連結損益計算書

(単位：百万円)

| | 2021年3月期 | 2022年3月期 |
|---|---:|---:|
| 売上高 | 1,608,414 | 2,280,775 |
| 売上原価 | 1,375,232 | 1,827,342 |
| 売上総利益 | 233,181 | 453,433 |
| 販売費及び一般管理費 | 161,644 | 184,493 |
| 営業利益 | 71,537 | 268,939 |
| 営業外収益 | | |
| 　受取利息 | 2,385 | 2,127 |
| 　受取配当金 | 5,552 | 6,279 |
| 　持分法による投資利益 | 155,928 | 742,645 |
| 　為替差益 | 719 | 11,384 |
| 　その他 | 5,530 | 4,012 |
| 　営業外収益合計 | 170,115 | 766,449 |
| 営業外費用 | | |
| 　支払利息 | 15,978 | 12,279 |
| 　デリバティブ損失 | 8,363 | 17,707 |
| 　その他 | 1,974 | 2,247 |
| 　営業外費用合計 | 26,316 | 32,234 |
| 経常利益 | 215,336 | 1,003,154 |
| 特別利益 | | |
| 　固定資産売却益 | 42,009 | 19,575 |
| 　関係会社株式売却益 | 903 | 29,265 |
| 　その他 | 4,706 | 2,619 |
| 　特別利益合計 | 47,618 | 51,460 |
| 特別損失 | | |
| 　固定資産売却損 | 671 | 56 |
| 　減損損失 | 24,385 | 2,810 |
| 　契約損失引当金繰入額 | 54,955 | — |
| 　航空機リース解約損 | — | 8,048 |
| 　その他 | 12,523 | 6,383 |
| 　特別損失合計 | 92,536 | 17,298 |
| 税金等調整前当期純利益 | 170,418 | 1,037,315 |
| 法人税、住民税及び事業税 | 15,000 | 42,459 |
| 法人税等調整額 | 9,102 | △22,961 |
| 法人税等合計 | 24,102 | 19,498 |
| 当期純利益 | 146,315 | 1,017,817 |
| 非支配株主に帰属する当期純利益 | 7,086 | 8,711 |
| 親会社株主に帰属する当期純利益 | 139,228 | 1,009,105 |

「売上高」は前期比6,723億6,100万円（41.8%）もの大幅な増加となりました。コロナ禍で世界的なサプライチェーンの混乱が発生し、コンテナ船の市況が期を通じて高騰したほか、鉄鉱石や石炭の荷動きが活発化し、エネルギー輸送部門もタンカーの市況上昇の好影響を受けるなど全部門にわたって好調でした。「売上原価」も4,521億1,000万円（32.9%）増加していますが、増加率が売上高のそれを下回ったため、「売上高原価率」は前期85.5%から当期80.1%へと低下しています。そのため粗利益を示す「売上総利益」は2,202億5,200万円（94.5%）増加となりました。「売上総利益率」は前期14.5%から当期19.9%と上昇しました。

「販売費及び一般管理費」も増加したものの228億4,900万円（14.1%）の伸びにとどまっています。そのため本業による儲けを示す「営業利益」は前期に比べて3.8倍となりました。「売上高営業利益率」も前期4.4%から当期11.8%となり2桁の水準に乗りました。

「営業外収益」では「持分法による投資利益」が5,867億1,700万円増加しました。このうちONE社からの持ち分法利益計上は7,137億円と「持分法による投資利益」の96%を占めています。

「デリバティブ損失」が93億円余り増加したのを除くと「営業外費用合計」の増加も59億1,800万円と小幅です。そのため「営業外収支」を差し引いた「経常利益」は7,878億1,800万円増加しました。4.7倍という驚異的な変化率です。

「親会社株主に帰属する当期純利益」は前期比で7.2倍まで膨らみました。

# 3 モスフードサービスの決算書を読もう

**㈱モスフードサービス**

全国1,251店舗（2022年3月末）を展開する業界第2位のハンバーガーチェーン。FC化率が8割と高い。やや高価格帯の商品に強く、海外でも450店舗を展開。

## ●連結損益計算書

（単位：百万円）

| | 2021年3月期 | 2022年3月期 |
|---|---:|---:|
| 売上高 | 71,972 | 78,447 |
| 売上原価 | 37,801 | 40,776 |
| 売上総利益 | 34,170 | 37,671 |
| 販売費及び一般管理費 | 32,748 | 34,197 |
| 営業利益 | 1,422 | 3,473 |
| 営業外収益 | | |
| 　受取利息 | 102 | 90 |
| 　受取配当金 | 78 | 71 |
| 　設備賃貸料 | 192 | 240 |
| 　プリペイドカード退蔵益 | 83 | 69 |
| 　雑収入 | 166 | 189 |
| 　営業外収益合計 | 623 | 661 |
| 営業外費用 | | |
| 　支払利息 | 129 | 118 |
| 　設備賃貸費用 | 174 | 196 |
| 　持分法による投資損失 | 31 | 65 |
| 　支払手数料 | 56 | 65 |
| 　雑支出 | 225 | 54 |
| 　営業外費用合計 | 618 | 500 |
| 経常利益 | 1,427 | 3,634 |
| 特別利益 | | |
| 　固定資産売却益 | 25 | 30 |
| 　投資有価証券売却益 | 2 | 26 |
| 　投資損失引当金戻入額 | — | 15 |
| 　持分変動利益 | 48 | 2 |
| 　助成金収入 | 1,239 | 1,216 |
| 　特別利益合計 | 1,315 | 1,291 |
| 特別損失 | | |
| 　固定資産売却損 | 25 | 2 |
| 　固定資産除却損 | 181 | 73 |
| 　減損損失 | 1,081 | 241 |
| 　投資有価証券売却損 | 0 | — |
| 　投資有価証券評価損 | 2 | 15 |
| 　投資損失引当金繰入額 | 52 | — |
| 　特別損失合計 | 1,345 | 334 |
| 税金等調整前当期純利益 | 1,398 | 4,591 |
| 法人税、住民税及び事業税 | 374 | 1,233 |
| 法人税等調整額 | 9 | △80 |
| 法人税等合計 | 383 | 1,153 |
| 当期純利益 | 1,014 | 3,438 |
| 非支配株主に帰属する当期純利益 | 17 | 18 |
| 親会社株主に帰属する当期純利益 | 997 | 3,419 |

「売上高」は前期比64億7,500万円（9.0％）増加。うち国内モスバーガー事業は直営、FCともに拡大し7.3％の増加。海外も香港、シンガポールが好調でした。

原料価格の上昇から「売上原価」は29億7,500万円（7.9％）増加しましたが、増加額・増加率ともに売上高の伸びを下回ったため、粗利益を示す「売上総利益」は35億100万円（10.2％）増加しています。「売上高総利益率」は前期47.5％から48.0％に向上しました。
売上高の伸び以上に原価抑制の効果が現れています。「販売費及び一般管理費」も宅配・キャッシュレス決済の増加による支払手数料の増加や給与手当、運賃などが増加しましたが、それでも前期に比べて14億4,900万円（4.4％）しか増加していません。原価だけでなく一般経費の抑制に努めていることが窺えます。

本業の儲けを示す「営業利益」は約2.4倍の20億5,100万円増加しました。「売上高営業利益率」も前期2.0％から当期4.4％へと大きな変化が現れています。
コロナ禍からの回復もありますが、食中毒事件で最終赤字に転落した2019年3月期以降進めてきた経営改革の効果が表れていることも見逃せません。

「営業外収益合計」が3,800万円増加、「営業外費用合計」が1億1,800万円減少と、営業外収支が改善したため、「経常利益」は22億700万円増加しました。

コロナ禍での助成金収入が小幅減少したこともあり、「特別利益合計」は減少しましたが、「減損損失」や「固定資産除却損」の減少により「特別損失合計」は10億1,100万円減少しました。そのため「親会社株主に帰属する当期純利益」は24億2,200万円増加しました。

# 4 サンリオの決算書を読もう

**㈱サンリオ**

自社キャラクター商品の企画・販売を展開。直営店での物販中心から量販店など他社に商品化権を供与しライセンス収入で稼ぐビジネスモデルに転換。

## ●連結貸借対照表

(単位：百万円)

| | 2021年3月期 | 2022年3月期 |
|---|---|---|
| **資産の部** | | |
| 流動資産 | | |
| 　現金及び預金 | 36,876 | 38,404 |
| 　受取手形及び売掛金 | 5,269 | — |
| 　受取手形 | — | 239 |
| 　売掛金 | — | 6,028 |
| 　契約資産 | — | 0 |
| 　商品及び製品 | 4,383 | 3,382 |
| 　仕掛品 | 10 | 5 |
| 　原材料及び貯蔵品 | 213 | 144 |
| 　未収入金 | 1,631 | 905 |
| 　その他 | 637 | 970 |
| 　貸倒引当金 | △ 85 | △ 95 |
| 　流動資産合計 | 48,937 | 49,987 |
| 固定資産 | | |
| 　有形固定資産 | | |
| 　　建物及び構築物 | 51,170 | 49,445 |
| 　　減価償却累計額及び減損損失累計額 | △ 46,539 | △ 45,946 |
| 　　建物及び構築物（純額） | 4,631 | 3,498 |
| 　　機械装置及び運搬具 | 13,006 | 12,901 |
| 　　減価償却累計額及び減損損失累計額 | △ 12,705 | △ 12,658 |
| 　　機械装置及び運搬具（純額） | 300 | 242 |
| 　　工具、器具及び備品 | 5,649 | 5,858 |
| 　　減価償却累計額及び減損損失累計額 | △ 5,249 | △ 5,453 |
| 　　工具、器具及び備品（純額） | 399 | 405 |
| 　　土地 | 7,831 | 6,190 |
| 　　リース資産 | 4,311 | 4,011 |
| 　　減価償却累計額及び減損損失累計額 | △ 1,380 | △ 1,531 |
| 　　リース資産（純額） | 2,930 | 2,480 |
| 　　建設仮勘定 | 4 | 27 |
| 　　有形固定資産合計 | 16,098 | 12,845 |
| 　無形固定資産 | 2,216 | 2,236 |
| 　投資その他の資産 | | |
| 　　投資有価証券 | 11,649 | 11,808 |
| 　　従業員に対する長期貸付金 | 114 | 69 |
| 　　差入保証金 | 1,722 | 1,702 |
| 　　繰延税金資産 | 364 | 412 |
| 　　退職給付に係る資産 | 1,812 | 2,352 |
| 　　その他 | 2,557 | 2,724 |
| 　　貸倒引当金 | △ 454 | △ 342 |
| 　　投資その他の資産合計 | 17,766 | 18,727 |

コロナ禍によりアニメ、トイホビー、EC事業などの「おうち需要」が伸展したことや、コンビニをはじめとするライセンス事業やロイヤリティ事業が好調。そのため「資産の部」のうち「流動資産合計」は前期比10億5,000万円増加しました。

「現金及び預金」が15億2,800万円増加。前期52億6,900万円計上されていた「受取手形及び売掛金」が当期は「受取手形」と「売掛金」に科目変更されていますが、差し引きではほとんど変化ありません。「商品及び製品」「仕掛品」「原材料及び貯蔵品」を合わせた「棚卸在庫」は10億7,500万円減少しました。売上高の回復で在庫の圧縮が進んでいます。

「有形固定資産合計」は32億5,300万円減少しました。「土地」16億4,100万円減少、「建物及び構築物」17億2,500万円減少などによるものです。

「投資その他の資産合計」は9億6,100万円増加しました。「投資有価証券」1億5,900万円増加、「退職給付に係る資産」5億4,000万円増加などの項目で増加しています。

| | | |
|---|---:|---:|
| 固定資産合計 | 36,081 | 33,808 |
| 繰延資産 | | |
| 社債発行費 | 21 | 12 |
| 繰延資産合計 | 21 | 12 |
| 資産合計 | 85,040 | 83,809 |

「固定資産合計」は前期比22億7,300万円減少し、「資産合計」は12億3,100万円減少しました。財務体質のスリム化が進んでいるようです。

## 負債の部

| | | |
|---|---:|---:|
| 流動負債 | | |
| 支払手形及び買掛金 | 3,180 | 3,797 |
| 短期借入金 | 17,030 | 9,835 |
| 1年内償還予定の社債 | 512 | 462 |
| リース債務 | 752 | 543 |
| 未払法人税等 | 486 | 953 |
| 契約負債 | — | 2,993 |
| 賞与引当金 | 421 | 469 |
| 返品調整引当金 | 8 | — |
| 株主優待引当金 | 38 | 43 |
| ポイント引当金 | 118 | 13 |
| 創業者功労引当金 | — | 300 |
| その他 | 6,786 | 4,818 |
| 流動負債合計 | 29,336 | 24,230 |
| 固定負債 | | |
| 社債 | 935 | 473 |
| 長期借入金 | 9,382 | 9,243 |
| リース債務 | 2,351 | 2,117 |
| 長期預り金 | 620 | 634 |
| 長期未払金 | 1,142 | 641 |
| 退職給付に係る負債 | 3,091 | 1,797 |
| その他 | 893 | 870 |
| 固定負債合計 | 18,417 | 15,778 |
| 負債合計 | 47,754 | 40,008 |

「負債の部」のうち「流動負債合計」は前期比51億600万円減少しました。なかで「短期借入金」が71億9,500万円減少したのが目を引きます。

「固定負債合計」は前期比26億3,900万円減少しました。なかで「退職給付に係る負債」が12億9,400万円減少したほか、「社債」「長期借入金」「長期未払金」などが減少しています。

「流動負債」「固定負債」ともに減少したため、「負債合計」は77億4,600万円減少しました。

## 純資産の部

| | | |
|---|---:|---:|
| 株主資本 | | |
| 資本金 | 10,000 | 10,000 |
| 資本剰余金 | 3,409 | 3,403 |
| 利益剰余金 | 47,179 | 49,968 |
| 自己株式 | △ 19,762 | △ 19,716 |
| 株主資本合計 | 40,827 | 43,656 |
| その他の包括利益累計額 | | |
| その他有価証券評価差額金 | 139 | 32 |
| 為替換算調整勘定 | △ 3,320 | △ 999 |
| 退職給付に係る調整累計額 | △ 490 | 953 |
| その他の包括利益累計額合計 | △ 3,671 | △ 14 |
| 非支配株主持分 | 130 | 158 |
| 純資産合計 | 37,285 | 43,800 |
| 負債純資産合計 | 85,040 | 83,809 |

「純資産の部」のうち「株主資本合計」は28億2,900万円増加しました。これは当期純利益が黒字転換したことで「利益剰余金」が27億8,900万円増加したことによります。
「その他の包括利益累計額」のうち「為替換算調整勘定」などが改善したことで「純資産合計」は65億1,500万円増加しました。「負債純資産合計」は12億3,100万円減少しましたが、「株主資本合計」が増加したため「自己資本比率」は52.1%（前期43.7%）と5割台に乗りました。

## ●連結損益計算書

（単位：百万円）

| | 2021年3月期 | 2022年3月期 |
|---|---:|---:|
| **売上高** | 41,053 | 52,763 |
| **売上原価** | 15,779 | 18,893 |
| **売上総利益** | 25,273 | 33,870 |
| **返品調整引当金戻入額** | 17 | ― |
| **差引売上総利益** | 25,290 | 33,870 |
| **販売費及び一般管理費** | | |
| 販売促進費 | 1,875 | 2,127 |
| 貸倒引当金繰入額 | 113 | 1 |
| 役員報酬及び給料手当 | 7,280 | 7,542 |
| 雑給 | 2,441 | 2,729 |
| 賞与 | 834 | 907 |
| 賞与引当金繰入額 | 405 | 459 |
| 株主優待引当金繰入額 | △ 15 | 0 |
| ポイント引当金繰入額 | 43 | △ 19 |
| 退職給付費用 | 1,792 | 1,491 |
| 運賃及び荷造費 | 1,066 | 1,201 |
| 賃借料 | 2,368 | 2,801 |
| 減価償却費 | 885 | 797 |
| その他 | 9,478 | 11,290 |
| 販売費及び一般管理費合計 | 28,570 | 31,332 |
| **営業利益又は営業損失（△）** | △ 3,280 | 2,537 |
| **営業外収益** | | |
| 受取利息 | 412 | 247 |
| 受取配当金 | 200 | 182 |
| 為替差益 | ― | 97 |
| 投資有価証券評価益 | 286 | ― |
| 投資事業組合運用益 | 919 | 135 |
| 雇用調整助成金 | 140 | ― |
| その他 | 423 | 428 |
| 営業外収益合計 | 2,382 | 1,091 |
| **営業外費用** | | |
| 支払利息 | 131 | 168 |
| 為替差損 | 301 | ― |
| 支払手数料 | 123 | 107 |
| 和解金 | 141 | ― |
| その他 | 135 | 34 |
| 営業外費用合計 | 833 | 310 |
| **経常利益又は経常損失（△）** | △ 1,731 | 3,318 |

キャラクターを活かしたコラボ商品の販売や、コンビニへのライセンス提供などが大きく伸長したため「売上高」は117億1,000万円（28.5%）増加しました。
2021年10月の緊急事態宣言解除後はほぼ全部門にわたって売上高が回復に転じました。ここには書いてありませんが、内外地域別では最も比率の高い国内が前期比27.2%の増収となったほか、欧州40.7%増、北米67.3%増、アジア19.3%増、南米17.9%増と欧米の回復度合いが顕著です。

「売上原価」は前期比31億1,400万円（19.7%）の増加となりました。売上原価の伸び率が売上高の伸び率を下回ったため、「返品調整引当金戻入額」で調整した「差引売上総利益」は前期比85億8,000万円（33.9%）もの大幅な増加となりました。
粗利益率を示す「売上総利益率」は前期61.6%から当期64.2%へと向上しています。

「販売費及び一般管理費合計」も増加しましたが、前期比27億6,200万円（9.7%）と売上高の増加幅・率に比べると相対的に低くなっています。そのため本業の儲けを示す「営業利益」が黒字転換を達成しました。売上高に占める営業利益の比率を見る「売上高営業利益率」は4.8%となりました。前期は営業損失でしたが、当期はコロナ禍前の水準まで回復しています。

「受取利息」や「投資事業組合運用益」が減少したことで「営業外収益合計」が12億9,100万円減少したものの、「営業外費用合計」も5億2,300万円減少しており、差し引きで「経常利益」も黒字転換しました。

| | | |
|---|---|---|
| **特別利益** | | |
| 固定資産売却益 | — | 3,855 |
| 投資有価証券売却益 | 528 | 313 |
| 雇用調整助成金 | 487 | 65 |
| その他 | — | 23 |
| 特別利益合計 | 1,015 | 4,258 |
| **特別損失** | | |
| 固定資産処分損 | 17 | 19 |
| 減損損失 | 470 | 184 |
| 投資有価証券売却損 | 51 | 426 |
| 投資有価証券評価損 | 11 | 256 |
| 事業構造改善費用 | 35 | 1 |
| 臨時休園等による損失 | 1,370 | 251 |
| 関係会社株式評価損 | — | 1,190 |
| 創業者功労引当金繰入額 | — | 300 |
| その他 | 2 | — |
| 特別損失合計 | 1,960 | 2,629 |
| **税金等調整前当期純利益又は税金等調整前当期純損失（△）** | △2,676 | 4,947 |
| **法人税、住民税及び事業税** | 1,155 | 1,585 |
| **法人税等還付税額** | △820 | — |
| **法人税等調整額** | 931 | △76 |
| **法人税等合計** | 1,267 | 1,509 |
| **当期純利益又は当期純損失（△）** | △3,943 | 3,437 |
| **非支配株主に帰属する当期純利益** | 16 | 14 |
| **親会社株主に帰属する当期純利益又は親会社株主に帰属する当期純損失（△）** | △3,960 | 3,423 |

「固定資産売却益」38億5,500万円が計上されたことで「特別利益合計」は前期比32億4,300万円増加しました。

「特別損失合計」も6億6,900万円増加しましたが、こちらは「関係会社株式評価損」11億9,000万円が新たに計上されたほか、「投資有価証券売却損」3億7,500万円増加、「臨時休園等による損失」11億1,900万円減少などが目につきます。

特別損益を相殺した後の「親会社株主に帰属する純利益」は34億2,300万円を計上。2期ぶりの黒字転換となりました。コロナ禍前の2019年3月期の「親会社株主に帰属する純利益」38億8,000万円に迫る水準となります。新型コロナ感染拡大によるダメージを克服した1年間だったといっていいようです。

## ●主な指標の計算式

| 指　標　※単位は% | 計算式 |
|---|---|
| 売上高総利益率（売上総利益率、アラリ率） | 売上総利益÷売上高×100 |
| 売上高営業利益率 | 営業利益÷売上高×100 |
| 売上高経常利益率 | 経常利益÷売上高×100 |
| 売上高当期純利益率 | 当期純利益率÷売上高×100 |
| 自己資本利益率（ROE） | 当期純利益÷自己資本×100 |
| 総資産利益率（ROA） | 当期純利益（または経常利益等）÷総資産×100 |
| 流動比率 | 流動資産÷流動負債×100 |
| 固定比率 | 固定資産÷自己資本×100 |
| 売上高伸び率 | {（当期売上高－前期売上高）÷前期売上高}×100 |
| 経常利益伸び率 | {（当期経常利益－前期経常利益）÷前期経常利益}×100 |

# 5 凸版印刷の決算書を読もう

> **凸版印刷㈱**
>
> 総合印刷大手。情報コミュニケーション事業、生活・産業事業、エレクトロニクス事業の3分野で展開。印刷技術を応用した半導体フォトマスク、液晶カラーフィルタでは世界的に高シェア。

## ●連結貸借対照表

（単位：百万円）

| | 2021年3月期 | 2022年3月期 |
|---|---:|---:|
| **資産の部** | | |
| 流動資産 | | |
| 現金及び預金 | 513,972 | 437,951 |
| 受取手形及び売掛金 | 394,071 | — |
| 受取手形、売掛金及び契約資産 | — | 428,362 |
| 有価証券 | 29,418 | 26,702 |
| 商品及び製品 | 46,794 | 52,521 |
| 仕掛品 | 28,451 | 28,989 |
| 原材料及び貯蔵品 | 28,325 | 42,947 |
| その他 | 29,700 | 37,907 |
| 貸倒引当金 | △ 3,739 | △ 4,649 |
| 流動資産合計 | 1,066,994 | 1,050,734 |
| 固定資産 | | |
| 有形固定資産 | | |
| 建物及び構築物 | 604,889 | 600,337 |
| 減価償却累計額 | △ 385,110 | △ 386,183 |
| 建物及び構築物（純額） | 219,779 | 214,154 |
| 機械装置及び運搬具 | 813,508 | 849,753 |
| 減価償却累計額 | △ 657,777 | △ 683,692 |
| 機械装置及び運搬具（純額） | 155,730 | 166,061 |
| 土地 | 150,863 | 153,116 |
| 建設仮勘定 | 21,526 | 21,463 |
| その他 | 96,126 | 101,257 |
| 減価償却累計額 | △ 72,247 | △ 75,797 |
| その他（純額） | 23,878 | 25,459 |
| 有形固定資産合計 | 571,778 | 580,255 |
| 無形固定資産 | | |
| のれん | 11,373 | 27,478 |
| その他 | 36,808 | 56,022 |
| 無形固定資産合計 | 48,181 | 83,500 |
| 投資その他の資産 | | |
| 投資有価証券 | 631,766 | 525,276 |
| 長期貸付金 | 1,495 | 1,255 |
| 従業員に対する長期貸付金 | 68 | 73 |
| 繰延税金資産 | 25,820 | 27,561 |
| 退職給付に係る資産 | 2,841 | 3,565 |
| その他 | 14,879 | 16,268 |
| 貸倒引当金 | △ 324 | △ 302 |
| 投資その他の資産合計 | 676,548 | 573,697 |
| 固定資産合計 | 1,296,508 | 1,237,453 |
| 資産合計 | 2,363,503 | 2,288,188 |

> 「資産の部」のうち「流動資産合計」は162億6,000万円減少しました。「商品及び製品」「仕掛品」「原材料及び貯蔵品」を合わせた「棚卸在庫」が208億8,700万円増加しましたが、「現金及び預金」が760億2,100万円減少したため流動資産の減少となりました。

> 「有形固定資産合計」が84億7,700万円、「無形固定資産合計」が353億1,900万円のそれぞれ増加となりましたが、「投資その他の資産合計」が1,028億5,100万円と大幅に減少したため、3項目を合計した「固定資産合計」は590億5,500万円の減少となりました。「投資その他の資産」のうち「投資有価証券」が1,064億9,000万円減少しています。これは事業構造改革の一環で保有しているリクルートホールディングス株式など政策投資株式56銘柄を売却したものです。

> 「資産合計」は753億1,500万円減少し、財務体質はスリム化しています。

| 負債の部 | | |
|---|---|---|
| 流動負債 | | |
| 支払手形及び買掛金 | 139,664 | 151,743 |
| 電子記録債務 | 95,874 | 96,442 |
| 短期借入金 | 30,588 | 15,299 |
| 1年内償還予定の社債 | — | 40,000 |
| 1年内返済予定の長期借入金 | 10,074 | 10,468 |
| 未払法人税等 | 26,487 | 28,994 |
| 賞与引当金 | 24,176 | 26,759 |
| 役員賞与引当金 | 689 | 875 |
| 返品調整引当金 | 424 | — |
| その他の引当金 | 1,234 | 915 |
| その他 | 107,277 | 124,594 |
| 流動負債合計 | 436,492 | 496,094 |
| 固定負債 | | |
| 社債 | 90,000 | 50,000 |
| 長期借入金 | 193,581 | 138,309 |
| 繰延税金負債 | 123,977 | 100,141 |
| 役員退職慰労引当金 | 1,715 | 1,651 |
| 退職給付に係る負債 | 48,697 | 49,666 |
| その他の引当金 | 4,427 | 3,751 |
| その他 | 11,448 | 11,365 |
| 固定負債合計 | 473,847 | 354,885 |
| 負債合計 | 910,339 | 850,980 |

| 純資産の部 | | |
|---|---|---|
| 株主資本 | | |
| 資本金 | 104,986 | 104,986 |
| 資本剰余金 | 126,793 | 125,530 |
| 利益剰余金 | 832,978 | 941,169 |
| 自己株式 | △ 10,886 | △ 26,469 |
| 株主資本合計 | 1,053,871 | 1,145,216 |
| その他の包括利益累計額 | | |
| その他有価証券評価差額金 | 273,431 | 203,794 |
| 繰延ヘッジ損益 | △ 176 | △ 107 |
| 為替換算調整勘定 | △ 5,744 | 13,256 |
| 退職給付に係る調整累計額 | 2,340 | 3,820 |
| その他の包括利益累計額合計 | 269,850 | 220,764 |
| 非支配株主持分 | 129,442 | 71,226 |
| 純資産合計 | 1,453,164 | 1,437,207 |
| 負債純資産合計 | 2,363,503 | 2,288,188 |

「負債の部」のうち「流動負債合計」は596億200万円増加しました。
この増加に影響を与えたのは「1年内償還予定の社債」として新たに400億円が計上されたことですが、これは社債のうち償還期日が接近している分に対する科目変更とみられ、「固定負債」のうち「社債」が400億円減少しています。同時に「長期借入金」も552億7,200万円減少していますから「固定負債合計」は1,189億6,200万円と大幅な減少となりました。

「流動負債」と「固定負債」を合わせた「負債合計」は593億5,900万円の減少となりました。
流動負債が増加したとはいえ、流動資産の額と比較した「流動比率」は212%ですから、安全性にはまったく問題ありません。

「純資産の部」のうち「株主資本合計」が913億4,500万円増加しました。
当期純利益が大幅に伸びたことで「利益剰余金」が1,081億9,100万円増加したことが影響しています。一方で「その他の包括利益累計額合計」が490億8,600万円減少、「非支配株主持分」が582億1,600万円減少となり、それを相殺した「純資産合計」は159億5,700万円減少しました。

## ●連結損益計算書

（単位：百万円）

| | 2021年3月期 | 2022年3月期 |
|---|---:|---:|
| **売上高** | 1,466,935 | 1,547,533 |
| **売上原価** | 1,165,532 | 1,212,769 |
| **売上総利益** | 301,402 | 334,764 |
| **販売費及び一般管理費** | | |
| 　運賃 | 28,101 | 28,560 |
| 　貸倒引当金繰入額 | 2,003 | 95 |
| 　役員報酬及び給料手当 | 86,218 | 94,979 |
| 　賞与引当金繰入額 | 10,302 | 10,902 |
| 　役員賞与引当金繰入額 | 496 | 434 |
| 　退職給付費用 | 4,931 | 4,505 |
| 　役員退職慰労引当金繰入額 | 291 | 332 |
| 　旅費 | 2,953 | 3,425 |
| 　研究開発費 | 16,077 | 19,080 |
| 　その他 | 91,236 | 98,940 |
| 　販売費及び一般管理費合計 | 242,612 | 261,258 |
| **営業利益** | 58,789 | 73,505 |
| **営業外収益** | | |
| 　受取利息 | 486 | 428 |
| 　受取配当金 | 6,458 | 5,709 |
| 　持分法による投資利益 | 1,728 | 1,625 |
| 　為替差益 | ― | 3,680 |
| 　その他 | 4,689 | 3,563 |
| 　営業外収益合計 | 13,362 | 15,007 |
| **営業外費用** | | |
| 　支払利息 | 4,054 | 3,987 |
| 　為替差損 | 788 | ― |
| 　公開買付関連費用 | ― | 1,408 |
| 　解体撤去費用 | 3,328 | 1,319 |
| 　新型コロナウィルス関連費用 | 1,668 | 176 |
| 　その他 | 4,258 | 5,303 |
| 　営業外費用合計 | 14,098 | 12,195 |
| **経常利益** | 58,053 | 76,318 |

「売上高」は、805億9,800万円（5.5％）増加しました。当期から「収益認識に関する会計基準」を適用したため、従来の方法に比べて売上高は229億円減少しています。事業部門別では半導体関連製品などが好調だったエレクトロニクス事業が20％を超す伸びとなりました。

「売上原価」の増加は472億3,700万円（4.1％）にとどまりました。そのため粗利益に相当する「売上総利益」は333億6,200万円（11.1％）増加しました。「売上高総利益率」は前期20.5％から当期21.6％へ1.1ポイント向上しています。

「販売費及び一般管理費合計」は186億4,600万円（7.7％）増加しました。「役員報酬及び給料手当」が87億6,100万円増加するなど人件費関係の増加が目立つほか、「研究開発費」も30億円強増加しています。増加したとはいえ「販売費及び一般管理費」の増加率は「売上総利益」の伸びを下回っていますから、本業による儲けを示す「営業利益」は147億1,600万円（25.0％）の増加。売上高に占める営業利益の割合を見た「売上高営業利益率」は前期4.0％から当期4.7％へ0.7ポイント向上しました。

為替市場での急激な円安ドル高の動きを背景に「営業外収益」には「為替差益」36億8,000万円が計上されています。一方、前期「営業外費用」に7億8,800万円計上されていた「為替差損」が今期は発生していません。
トッパン・フォームズの完全子会社化のために実施したTOB（株式公開買い付け）費用として「公開買付関連費用」14億800万円が計上されています。そうした営業外の「収益・費用」を相殺した「経常利益」は前期比182億6,500万円（31.5％）増加しました。

| | | |
|---|---:|---:|
| **特別利益** | | |
| 固定資産売却益 | 4,689 | 1,653 |
| 投資有価証券売却益 | 106,398 | 108,749 |
| 関係会社株式売却益 | 815 | 879 |
| 段階取得に係る差益 | 135 | 3,320 |
| 特別退職金戻入額 | — | 196 |
| 負ののれん発生益 | — | 31 |
| 退職給付金信託返還益 | 2,800 | — |
| 関係会社清算益 | 296 | — |
| 特別利益合計 | 115,136 | 114,830 |
| **特別損失** | | |
| 固定資産除売却損 | 3,291 | 1,663 |
| 投資有価証券売却損 | 4,194 | 463 |
| 投資有価証券評価損 | 11,469 | 833 |
| 減損損失 | 20,191 | 5.601 |
| 特別退職金 | 511 | 398 |
| 災害による損失 | 117 | 362 |
| 関係会社清算損 | — | 400 |
| 環境対策費 | — | 285 |
| 独占禁止法関連損失 | — | 196 |
| 関係会社株式売却損 | 3,242 | — |
| 関係会社整理損 | 151 | — |
| 特別損失合計 | 43,169 | 10,205 |
| **税金等調整前当期純利益** | 130,020 | 180,943 |
| **法人税、住民税及び事業税** | 53,018 | 51,663 |
| **法人税等調整額** | △ 6,752 | 122 |
| **法人税等合計** | 46,265 | 51,785 |
| **当期純利益** | 83,754 | 129,157 |
| **非支配株主に帰属する当期純利益** | 1,756 | 5,974 |
| **親会社株主に帰属する当期純利益** | 81,997 | 123,182 |

「特別利益」には政策投資保有株式の売却に伴う「投資有価証券売却益」が1,087億4,900万円計上されています。前期も1,064億円弱計上されているように、本業に直接関わりのない政策投資保有株式の縮減を継続的に行っています。
その他、「固定資産除売却損」「投資有価証券売却損」「投資有価証券評価損」「減損損失」などの項目で前期比減少が目立ちます。そのため「特別損失合計」は前期比329億6,400万円減少しました。

特別損失が大幅に減少したことで、「親会社株主に帰属する当期純利益」は1,231億8,200万円と前期比411億8,500万円（50.2%）もの大幅増加となりました。これは2020年3月期の870億4,700万円を抜いて2期ぶりで過去最高となります。

# 6 ヤマダHDの決算書を読もう

㈱ヤマダホールディングス

家電量販店の最大手。新業態店「家電住まいる館」を積極展開するほか、大塚家具の子会社化、ヒノキヤグループの吸収合併などM&A展開も推し進めている。

## ●連結貸借対照表

（単位：百万円）

| | 2021年3月期 | 2022年3月期 |
|---|---|---|
| **資産の部** | | |
| 　流動資産 | | |
| 　　現金及び預金 | 74,438 | 57,184 |
| 　　受取手形及び売掛金 | 72,961 | ― |
| 　　受取手形 | ― | 4,647 |
| 　　売掛金 | ― | 68,753 |
| 　　完成工事未収入金 | 2,049 | 2,378 |
| 　　営業貸付金 | 4,254 | 6,322 |
| 　　商品及び製品 | 368,838 | 356,043 |
| 　　販売用不動産 | 28,584 | 35,542 |
| 　　未成工事支出金 | 5,545 | 8,172 |
| 　　仕掛品 | 1,253 | 1,234 |
| 　　原材料及び貯蔵品 | 4,352 | 3,797 |
| 　　その他 | 54,382 | 78,824 |
| 　　貸倒引当金 | △ 2,026 | △ 1,622 |
| 　　流動資産合計 | 614,634 | 621,279 |
| 　固定資産 | | |
| 　　有形固定資産 | | |
| 　　　建物及び構築物（純額） | 197,027 | 201,122 |
| 　　　土地 | 199,381 | 203,087 |
| 　　　リース資産（純額） | 14,112 | 13,509 |
| 　　　建設仮勘定 | 2,906 | 4,840 |
| 　　　その他（純額） | 15,173 | 14,931 |
| 　　　有形固定資産合計 | 428,601 | 437,490 |
| 　　無形固定資産 | 42,777 | 40,955 |
| 　　投資その他の資産 | | |
| 　　　投資有価証券 | 6,715 | 10,384 |
| 　　　長期貸付金 | 3,675 | 3,019 |
| 　　　退職給付に係る資産 | 1,839 | 1,789 |
| 　　　繰延税金資産 | 40,362 | 54,102 |
| 　　　差入保証金 | 85,752 | 77,423 |
| 　　　その他 | 30,835 | 28,081 |
| 　　　貸倒引当金 | △ 2,595 | △ 2,858 |
| 　　　投資その他の資産合計 | 166,585 | 171,942 |
| 　　固定資産合計 | 637,965 | 650,388 |
| 　資産合計 | 1,252,599 | 1,271,668 |

「資産の部」のうち「流動資産合計」は前期比66億4,500万円増加しました。
前期比1％程度の小幅な変化ですが、科目別に見ると大きな変動があります。「現金及び預金」が前期比172億5,400万円減少、「商品及び製品」が127億9,500万円減少する一方、「収益認識に関する会計基準」の適用によって「その他」の項目が244億4,420万円の増加となりました。住宅事業での在庫手当ての活発化を受けて「販売用不動産」の69億5,800万円増加も目を引きます。

「有形固定資産合計」は88億8,900万円増加しました。「建物及び構築物（純額）」が40億9,500万円増加、「土地」37億600万円増加が目を引きます。

「差入保証金」が83億2,900万円減少しましたが「繰延税金資産」が137億4,000万円増加し、「投資有価証券」が36億6,900万円増加したことで「投資その他の資産合計」は53億5,700万円増加しました。それにより「固定資産合計」は124億2,300万円増加しました。

## 負債の部

| | | |
|---|---:|---:|
| 流動負債 | | |
| 支払手形及び買掛金 | 106,928 | 94,564 |
| 工事未払金 | 13,719 | 15,037 |
| 短期借入金 | 44,199 | 60,755 |
| 1年内返済予定の長期借入金 | 50,860 | 50,300 |
| リース債務 | 4,447 | 4,870 |
| 未払法人税等 | 29,986 | 4,677 |
| 契約負債 | — | 58,530 |
| 未成工事受入金 | 17,284 | 23,370 |
| 賞与引当金 | 10,794 | 12,062 |
| その他の引当金 | 14,989 | 4,178 |
| その他 | 64,106 | 63,340 |
| 流動負債合計 | 357,315 | 391,688 |
| 固定負債 | | |
| 長期借入金 | 123,430 | 111,111 |
| リース債務 | 12,318 | 11,102 |
| 役員退職慰労引当金 | 1,083 | 796 |
| 商品保証引当金 | 7,912 | 1,675 |
| その他の引当金 | 400 | 217 |
| 退職給付に係る負債 | 30,606 | 31,523 |
| 資産除去債務 | 35,487 | 35,786 |
| その他 | 11,499 | 11,488 |
| 固定負債合計 | 222,738 | 203,701 |
| 負債合計 | 580,054 | 595,390 |

## 純資産の部

| | | |
|---|---:|---:|
| 株主資本 | | |
| 資本金 | 71,077 | 71,100 |
| 資本剰余金 | 84,235 | 80,989 |
| 利益剰余金 | 560,958 | 564,882 |
| 自己株式 | △ 68,882 | △ 61,251 |
| 株主資本合計 | 647,388 | 655,720 |
| その他の包括利益累計額 | | |
| その他有価証券評価差額金 | △ 269 | △ 24 |
| 為替換算調整勘定 | 609 | 1,404 |
| 退職給付に係る調整累計額 | 1,685 | △ 397 |
| その他の包括利益累計額合計 | 2,025 | 982 |
| 新株予約権 | 1,578 | 1,725 |
| 非支配株主持分 | 21,551 | 17,849 |
| 純資産合計 | 672,545 | 676,277 |
| 負債純資産合計 | 1,252,599 | 1,271,668 |

「負債の部」のうち「流動負債合計」は前期比343億7,300万円増加しました。
「収益認識に関する会計基準」の適用によって新しく「契約負債」585億3,000万円が計上されました。これは顧客向けの財・サービス提供に関してすでに対価を受取済みのものを指します。これまでは「前受金」と呼ばれていたものです。さらに運転資金積み増しのため「短期借入金」が165億5,600万円増加する一方、「支払手形及び買掛金」123億6,400万円減少、「未払法人税等」253億900万円減少などが目を引きます。

「固定負債合計」は190億3,700万円減少しました。「長期借入金」123億1,900万円減少、「商品保証引当金」62億3,700万円減少などが主な変更科目です。

「純資産の部」のうち「株主資本合計」が83億3,200万円増加しました。大塚家具や住宅事業を展開するヒノキヤグループの完全子会社化に伴って株式交換を実施し、自己株式（金庫株）が76億円強減少したことによります。

「負債純資産合計（資産合計）」は190億6,900万円増加しました。新株予約権と非支配株主持分を控除後の「純資産合計」との比較で見た「自己資本比率」は51.6％（前期51.8％）と高水準を維持しました。

## ●連結損益計算書

(単位：百万円)

| | 2021年3月期 | 2022年3月期 |
|---|---|---|
| 売上高 | 1,752,506 | 1,619,379 |
| 売上原価 | 1,231,470 | 1,154,418 |
| 売上総利益 | 521,036 | 464,960 |
| 販売費及び一般管理費 | 428,957 | 399,257 |
| 営業利益 | 92,078 | 65,703 |
| 営業外収益 | | |
| 　受取利息 | 611 | 588 |
| 　仕入割引 | 2,713 | 2,452 |
| 　売電収入 | 1,902 | 1,905 |
| 　その他 | 8,273 | 6,700 |
| 　営業外収益合計 | 13,501 | 11,646 |
| **営業外費用** | | |
| 　支払利息 | 1,360 | 1,421 |
| 　売電費用 | 772 | 775 |
| 　その他 | 4,570 | 1,016 |
| 　営業外費用合計 | 6,703 | 3,213 |
| 経常利益 | 98,875 | 74,136 |
| 特別利益 | | |
| 　負ののれん発生益 | 1,163 | — |
| 　固定資産売却益 | 85 | 29 |
| 　投資有価証券売却益 | 55 | 216 |
| 　関係会社株式売却益 | — | 190 |
| 　退職給付制度改定益 | — | 3,061 |
| 　事業譲渡益 | 414 | — |
| 　その他 | 719 | 89 |
| 　特別利益合計 | 2,438 | 3,587 |
| 特別損失 | | |
| 　固定資産処分損 | 1,184 | 616 |
| 　減損損失 | 14,030 | 3,961 |
| 　新型コロナウイルス感染症による損失 | 639 | 208 |
| 　災害による損失 | 305 | 1,345 |
| 　役員退職慰労金 | 43 | 1,010 |
| 　その他 | 7,597 | 1,050 |
| 　特別損失合計 | 23,800 | 8,192 |
| 税金等調整前当期純利益 | 77,513 | 69,531 |
| 法人税、住民税及び事業税 | 36,165 | 15,959 |
| 法人税等調整額 | △ 10,319 | 1,289 |
| 法人税等合計 | 25,846 | 17,249 |
| 当期純利益 | 51,667 | 52,281 |
| 非支配株主に帰属する当期純利益 | | |
| 又は非支配株主に帰属する当期純損失（△） | △ 131 | 1,726 |
| 親会社株主に帰属する当期純利益 | 51,798 | 50,555 |

「売上高」は1,331億2,700万円（7.6%）減少しました。強化中の住建事業がヒノキヤグループなどの吸収合併効果もあって前期比48.5%増と大きく伸びたものの、主力のデンキ事業が巣ごもり需要の反動減に見舞われて同14.5%減と落ち込みました。
収益認識に関する会計基準の導入に伴う影響も1,000億円以上発生しています。

「売上原価」は前期比770億5,200万円（6.3%）減少しました。売上高の減少率に比べて売上原価の低下が少ないため、売上原価率は前期70.3%から当期71.3%へと上昇しています。そのため、粗利益を示す「売上総利益」は前期比560億7,600万円（10.8%）減少しました。

本業の利益を示す「営業利益」は263億7,500万円減少しました。売上高が減少したうえ、原価低減、コスト抑制が不十分なため、高い減益率となりました。売上高営業利益率は前期5.3%から4.1%へと1.2ポイント低下しています。

「営業外収益合計」が前期比18億5,500万円減少し、「営業外費用合計」が34億9,000万円減少したため、営業外収支はやや改善しました。その結果、「経常利益」は約247億円（25%）減少となりました。

「特別利益合計」は前期比11億4,900万円増加しました。前期11億6,300万円計上された「負ののれん発生益」が今期は計上されなかったものの、新たに「退職給付制度改定益」が30億6,100万円計上されています。逆に「特別損失合計」は156億800万円減少しました。「減損損失」100億6,900万円、「その他」65億4,700万円などが大きな減少項目です。

# 7 ゲオHDの決算書を読もう

> **㈱ゲオホールディングス**
>
> DVD・CDレンタル、携帯電話販売ショップを全国展開。衣料品や家電製品などの買い取り販売を行うリユース店「2nd STREET」へのシフトを進めている。

## ●連結損益計算書

（単位：百万円）

| | 2021年3月期 | 2022年3月期 |
|---|---|---|
| **売上高** | 328,358 | 334,788 |
| **売上原価** | 203,134 | 203,990 |
| **売上総利益** | 125,223 | 130,798 |
| **販売費及び一般管理費** | 120,911 | 122,624 |
| **営業利益** | 4,311 | 8,173 |
| **営業外収益** | | |
| 受取利息及び配当金 | 62 | 56 |
| 為替差益 | 37 | 423 |
| 不動産賃貸料 | 742 | 680 |
| 受取保険金 | 260 | 305 |
| その他 | 664 | 983 |
| 営業外収益合計 | 1,767 | 2,450 |
| **営業外費用** | | |
| 支払利息 | 230 | 214 |
| 不動産賃貸費用 | 493 | 335 |
| 固定資産除却損 | 153 | 204 |
| その他 | 406 | 206 |
| 営業外費用合計 | 1,284 | 961 |
| **経常利益** | 4,795 | 9,662 |
| **特別利益** | | |
| 投資有価証券売却益 | — | 250 |
| 特別利益合計 | — | 250 |
| **特別損失** | | |
| 減損損失 | 1,932 | 1,797 |
| 事業撤退損 | 554 | — |
| その他 | 163 | 14 |
| 特別損失合計 | 2,650 | 1,812 |
| **税金等調整前当期純利益** | 2,144 | 8,101 |
| **法人税、住民税及び事業税** | 3,890 | 2,645 |
| **法人税等調整額** | △ 993 | △ 529 |
| **法人税等合計** | 2,896 | 2,115 |
| **当期純利益又は当期純損失（△）** | △ 752 | 5,985 |
| **親会社株主に帰属する当期純利益又は親会社株主に帰属する当期純損失（△）** | △ 752 | 5,985 |

「売上高」は前期比64億3,000万円（2.0％）増加しました。映像レンタル市場の縮小傾向を映してレンタル製品が前期比16.6％減と落ち込み、新品販売も巣ごもり効果が剥落して2.4％減。
一方、リユース店「2nd STREET」への客足が戻り、高級腕時計をはじめとしたリユース商材は42.7％増と好調でした。

「売上原価」は8億5,600万円（0.4％）しか増加していません。そのため粗利益に相当する「売上総利益」が55億7,500万円（4.5％）増加しました。
その伸び率は売上高を上回っています。「売上総利益率」も前期38.1％から当期39.1％へと向上しています。

「販売費及び一般管理費」は17億1,300万円（1.4％）の増加にとどまりました。人件費を中心にコスト抑制策を徹底して行ったため、経費増加が売上高の伸び率を下回っています。
そのため本業の儲けを示す「営業利益」は38億6,200万円（89.6％）増加しました。「売上高営業利益率」は前期1.3％から当期2.4％へ1.1ポイント向上しました。

為替の円安による「為替差益」3億8,600万円増加などから「営業外収益合計」が6億8,300万円増加する一方、退店に伴う「不動産賃貸費用」1億5,800万円減少などから「営業外費用合計」が3億2,300万円減少しました。
営業外収支が10億円強改善したことで「経常利益」は前期比で2倍強の48億6,700万円増加しました。

「経常利益」段階での利益計上が多く「特別損失合計」の計上額も8億円強減っています。そのため「親会社株主に帰属する当期純損益」は59億8,500万円の黒字へと黒字転換しました。

# 8 ヤマトHDの決算書を読もう

## ●連結貸借対照表

(単位：百万円)

| | 2021年3月期 | 2022年3月期 |
|---|---:|---:|
| **資産の部** | | |
| 流動資産 | | |
| 　現金及び預金 | 241,523 | 182,644 |
| 　受取手形及び売掛金 | 212,766 | ― |
| 　受取手形、売掛金及び契約資産 | ― | 218,922 |
| 　割賦売掛金 | 45,643 | 48,055 |
| 　商品及び製品 | 392 | 186 |
| 　仕掛品 | 117 | 167 |
| 　原材料及び貯蔵品 | 1,770 | 1,861 |
| 　その他 | 27,508 | 30,462 |
| 　貸倒引当金 | △ 1,341 | △ 1,456 |
| 　流動資産合計 | 528,379 | 480,844 |
| 固定資産 | | |
| 　有形固定資産 | | |
| 　　建物及び構築物 | 367,718 | 376,844 |
| 　　　減価償却累計額 | △ 214,421 | △ 219,830 |
| 　　　建物及び構築物（純額） | 153,296 | 157,013 |
| 　　機械及び装置 | 73,923 | 77,631 |
| 　　　減価償却累計額 | △ 54,255 | △ 56,029 |
| 　　　機械及び装置（純額） | 19,668 | 21,601 |
| 　　車両運搬具 | 199,976 | 197,104 |
| 　　　減価償却累計額 | △ 185,268 | △ 171,897 |
| 　　　車両運搬具（純額） | 14,708 | 25,207 |
| 　　土地 | 174,140 | 179,650 |
| 　　リース資産 | 36,645 | 39,653 |
| 　　　減価償却累計額 | △ 10,467 | △ 11,286 |
| 　　　リース資産（純額） | 26,178 | 28,366 |
| 　　建設仮勘定 | 6,345 | 3,165 |
| 　　その他 | 56,765 | 59,988 |
| 　　　減価償却累計額 | △ 44,791 | △ 45,114 |
| 　　　その他（純額） | 11,974 | 14,873 |
| 　　有形固定資産合計 | 406,312 | 429,878 |
| 　無形固定資産 | | |
| 　　ソフトウエア | 22,082 | 38,588 |
| 　　その他 | 7,472 | 7,058 |
| 　　無形固定資産合計 | 29,555 | 45,646 |
| 　投資その他の資産 | | |
| 　　投資有価証券 | 52,231 | 47,972 |
| 　　長期貸付金 | 6,719 | 6,162 |

「資産の部」の「流動資産合計」は前期比475億3,500万円減少しました。その内訳を見ると「現金及び預金」が588億7,900万円減少で、最も大きな影響を与えています。

一方、固定資産では、まず「有形固定資産」の「土地」が55億1,000万円増加、「建物及び構築物（純額）」が37億1,700万円増加、「機械及び装置（純額）」が19億3,300万円増加、「リース資産（純額）」が21億8,800万円増加など、投資活発化による資産取得の増加が目立ちます。「有形固定資産合計」は前期比235億6,600万円増加しました。

「無形固定資産合計」も「ソフトウエア」165億600万円増加によって前期比160億9,100万円増加しました。
また「投資その他の資産合計」は「投資有価証券」が42億5,900万円減少しましたが、「繰延税金資産」が85億7,200万円増加したことで前期比47億4,000万円増加しました。
以上の結果、「固定資産合計」は前期比443億9,800万円増加しています。

| | | |
|---|---|---|
| 敷金 | 20,121 | 20,519 |
| 退職給付に係る資産 | 156 | 15 |
| 繰延税金資産 | 45,625 | 54,197 |
| その他 | 2,269 | 3,229 |
| 貸倒引当金 | △ 1,379 | △ 1,611 |
| 投資その他の資産合計 | 125,744 | 130,484 |
| 固定資産合計 | 561,612 | 606,010 |
| 資産合計 | 1,089,991 | 1,086,854 |

**負債の部**

| | | |
|---|---|---|
| 流動負債 | | |
| 支払手形及び買掛金 | 153,860 | 165,346 |
| 短期借入金 | 34,000 | 15,000 |
| リース債務 | 5,054 | 4,850 |
| 未払法人税等 | 32,099 | 14,395 |
| 割賦利益繰延 | 4,781 | 4,714 |
| 賞与引当金 | 40,173 | 38,942 |
| その他 | 119,401 | 109,558 |
| 流動負債合計 | 389,369 | 352,807 |
| 固定負債 | | |
| リース債務 | 26,098 | 26,038 |
| 繰延税金負債 | 5,194 | 1,913 |
| 退職給付に係る負債 | 71,834 | 94,141 |
| その他 | 13,207 | 13,719 |
| 固定負債合計 | 116,334 | 135,814 |
| 負債合計 | 505,704 | 488,621 |

**純資産の部**

| | | |
|---|---|---|
| 株主資本 | | |
| 資本金 | 127,234 | 127,234 |
| 資本剰余金 | 36,813 | 36,813 |
| 利益剰余金 | 431,571 | 464,494 |
| 自己株式 | △ 39,549 | △ 49,551 |
| 株主資本合計 | 556,070 | 578,991 |
| その他の包括利益累計額 | | |
| その他有価証券評価差額金 | 15,883 | 11,498 |
| 為替換算調整勘定 | △ 1,316 | △ 513 |
| 退職給付に係る調整累計額 | 5,730 | 565 |
| その他の包括利益累計額合計 | 20,297 | 11,551 |
| 非支配株主持分 | 7,919 | 7,690 |
| 純資産合計 | 584,287 | 598,233 |
| 負債純資産合計 | 1,089,991 | 1,086,854 |

「負債の部」では「流動負債合計」が前期比365億6,200万円減少しました。なかで「短期借入金」190億円減少、「未払法人税等」177億400万円減少などが目を引きます。
「支払手形及び買掛金」は114億8,600万円増加となっています。会社の支払い安全性を見る指標である流動比率を「流動資産（4,808億4,400万円）÷流動負債（3,528億700万円）×100」の計算式で計算すると136.3％となりますから、安全性の高い会社といえるでしょう。

「固定負債合計」は前期比194億8,000万円増加しました。「退職給付に係る負債」が223億700万円と大幅に増加し、逆に「繰延税金負債」は32億8,100万円減少しました。

「純資産の部」では「利益剰余金」が前期比329億2,300万円と大幅に増加したため、「株主資本合計」は前期比229億2,100万円増加しました。「負債純資産合計（資産合計）」は31億3,700万円減少しました。

## ●連結損益計算書

（単位：百万円）

| | 2021年3月期 | 2022年3月期 |
|---|---|---|
| **営業収益** | 1,695,867 | 1,793,618 |
| **営業原価** | 1,538,524 | 1,654,085 |
| **営業総利益** | 157,342 | 139,532 |
| **販売費及び一般管理費** | | |
| 人件費 | 29,123 | 27,498 |
| 賞与引当金繰入額 | 1,256 | 1,084 |
| 退職給付費用 | 1,197 | 711 |
| 支払手数料 | 13,314 | 10,895 |
| 租税公課 | 10,317 | 10,133 |
| 貸倒引当金繰入額 | 715 | 815 |
| 減価償却費 | 3,015 | 2,529 |
| その他 | 8,733 | 10,460 |
| 販売費及び一般管理費合計 | 65,220 | 62,333 |
| **営業利益** | 92,121 | 77,199 |
| **営業外収益** | | |
| 受取利息 | 222 | 192 |
| 受取配当金 | 932 | 1,369 |
| 車両売却益 | 238 | 355 |
| 投資事業組合運用益 | 231 | 4,510 |
| 電動化対応車補助金 | 656 | — |
| その他 | 1,534 | 2,190 |
| 営業外収益合計 | 3,816 | 8,618 |
| **営業外費用** | | |
| 支払利息 | 741 | 785 |
| 持分法による投資損失 | 766 | 242 |
| その他 | 409 | 459 |
| 営業外費用合計 | 1,917 | 1,487 |

売上高に相当する「営業収益」は前期比977億5,100万円（5.8%）増加しました。全産業においてEC化が進展していることによる宅配需要の拡大や国際輸送ニーズへの対応などを受けて「リテール」部門は1.2%、「法人」部門は10.2%増加しました。

「営業原価」は前期比1,155億6,100万円（7.5%）増加と、営業収益の増加額以上に伸びています。そのため「売上総利益」は前期比178億1,000万円（11.3%）減少しました。

「販売費及び一般管理費合計」は前期比28億8,700万円（4.4%）減少しました。「賞与引当金繰入額」を中心に「人件費」が16億2,500万円減少、「支払手数料」24億1,900万円減少などが目につきます。

「営業総利益」から「販売費及び一般管理費」を引いた「営業利益」は前期比149億2,200万円（16.2%）減少しました。「売上高営業利益率」は前期5.4%から当期4.3%へと1.1ポイントの低下となりました。

営業外の収支を見ると「営業外収益合計」は前期比48億200万円増加しました。なかで「投資事業組合運用益」が45億1,000万円計上されています。「受取利息」「受取配当金」も合計4億700万円増加しました。一方、「持分法による投資損失」が5億2,400万円減少したことから「営業外費用合計」は4億3,000万円減少しました。

| | | |
|---|---:|---:|
| **経常利益** | 94,019 | 84,330 |
| **特別利益** | | |
| 固定資産売却益 | 712 | 3 |
| 投資有価証券売却益 | 38 | 15,312 |
| 子会社清算益 | — | 1,210 |
| 退職給付制度移行益 | — | 1,419 |
| 受取違約金 | 124 | 55 |
| その他 | 100 | 37 |
| 特別利益合計 | 975 | 18,038 |
| **特別損失** | | |
| 固定資産除却損 | 409 | 360 |
| 減損損失 | 876 | 2,420 |
| 投資有価証券売却損 | — | 3,104 |
| 投資有価証券評価損 | 372 | 48 |
| 退職給付制度改定費用 | — | 14,999 |
| 貸倒引当金繰入額 | 363 | 190 |
| 新型コロナウイルス感染症対応に係る損失 | 1,163 | — |
| その他 | 50 | 206 |
| 特別損失合計 | 3,235 | 21,328 |
| **税金等調整前当期純利益** | 91,759 | 81,040 |
| **法人税、住民税及び事業税** | 38,251 | 29,293 |
| **法人税等調整額** | △ 3,426 | △ 5,324 |
| **法人税等合計** | 34,825 | 23,968 |
| **当期純利益** | 56,934 | 57,071 |
| **非支配株主に帰属する当期純利益** | 233 | 1,115 |
| **親会社株主に帰属する当期純利益** | 56,700 | 55,956 |

「経常利益」は前期比96億8,900万円減少しました。総合的な収益性を見る指標である「売上高経常利益率」は前期5.5%から当期4.7%へと0.8ポイント低下しました。

「特別利益合計」は前期比170億6,300万円増加しました。政策保有株式を売却したことにより「投資有価証券売却益」が153億1,200万円計上されています。「子会社清算益」12億1,000万円、「退職給付制度移行益」14億1,900万円も特別利益を押し上げました。

逆に「特別損失合計」は前期比180億9,300万円増加しています。「投資有価証券売却損」31億400万円、ヤマトグループ人権方針などを反映させた「退職給付制度改定費用」149億9,900万円などが新たに計上されています。これによって「税金等調整前当期純利益」は107億1,900万円（11.7%）減少しました。

「法人税等合計」が108億5,700万円減少したことで「親会社株主に帰属する当期純利益」は前期比7億4,400万円の減少。過去最高益だった前期並みの水準をほぼ維持しています。

# 9 出光興産の決算書を読もう

**出光興産㈱**

石油精製・販売大手。ENEOSに次ぐ石油元売り2強の一角。SSは全国6,200ヵ所。原油や豪州石炭など資源開発を手掛け、石油化学事業でも大手。

## ●連結貸借対照表

（単位：百万円）

| | 2021年3月期 | 2022年3月期 |
|---|---|---|
| **資産の部** | | |
| 資産の部 | | |
| 　流動資産 | | |
| 　　現金及び預金 | 131,343 | 140,281 |
| 　　受取手形及び売掛金 | 602,661 | 870,483 |
| 　　棚卸資産 | 694,522 | 1,060,205 |
| 　　未収入金 | 178,536 | 242,860 |
| 　　その他 | 59,974 | 55,283 |
| 　　貸倒引当金 | △ 1,521 | △ 1,026 |
| 　　流動資産合計 | 1,665,516 | 2,368,088 |
| 　固定資産 | | |
| 　　有形固定資産 | | |
| 　　　建物及び構築物（純額） | 266,693 | 268,941 |
| 　　　機械装置及び運搬具（純額） | 309,885 | 286,611 |
| 　　　土地 | 808,037 | 779,921 |
| 　　　建設仮勘定 | 58,815 | 24,204 |
| 　　　その他（純額） | 78,468 | 78,131 |
| 　　　有形固定資産合計 | 1,521,899 | 1,437,810 |
| 　　無形固定資産 | | |
| 　　　のれん | 159,006 | 149,691 |
| 　　　その他 | 160,245 | 158,937 |
| 　　　無形固定資産合計 | 319,252 | 308,628 |
| 　　投資その他の資産 | | |
| 　　　投資有価証券 | 239,196 | 261,095 |
| 　　　長期貸付金 | 37,720 | 12,301 |
| 　　　退職給付に係る資産 | 2,183 | 43,369 |
| 　　　繰延税金資産 | 21,019 | 10,597 |
| 　　　その他 | 149,814 | 161,852 |
| 　　　貸倒引当金 | △ 2,160 | △ 2,561 |
| 　　　投資その他の資産合計 | 447,774 | 486,655 |
| 　　固定資産合計 | 2,288,926 | 2,233,094 |
| 　資産合計 | 3,954,443 | 4,601,183 |

「資産の部」のうち「流動資産合計」は前期比7,025億7,200万円の大幅な増加となりました。最も影響が大きいのは原材料・製品・半製品・仕掛品などの「棚卸資産」で、これが前期比3,656億8,300万円増加しました。資源エネルギー価格の高騰を受けて原料から製品まで一斉に価格高騰しています。
その他、「受取手形及び売掛金」2,678億2,200万円増加、「未収入金」643億2,400万円増加、「現金及び預金」89億3,800万円増加なども目を引きます。

「有形固定資産合計」は前期比840億8,900万円減少しました。「建設仮勘定」346億1,100万円減少、「土地」281億1,600万円減少、「機械装置及び運搬具（純額）」232億7,400万円減少など各項目とも減少しています。

「無形固定資産合計」は106億2,400万円減少しましたが、「投資その他の資産合計」が388億8,100万円増加しています。そのため、「有形固定資産」と「無形固定資産」「投資その他の資産」を合算した「固定資産合計」は558億3,200万円減少しました。ただ、「流動資産合計」の増加が大幅なため「資産合計」は前期比6,467億4,000万円増加しました。

## 負債の部

### 流動負債

| | | |
|---|---:|---:|
| 支払手形及び買掛金 | 530,697 | 840,834 |
| 短期借入金 | 334,309 | 369,043 |
| コマーシャル・ペーパー | 188,005 | 237,000 |
| １年内償還予定の社債 | 20,000 | 10,000 |
| 未払金 | 406,890 | 390,920 |
| 未払法人税等 | 18,422 | 39,908 |
| 賞与引当金 | 11,392 | 13,942 |
| その他 | 111,568 | 159,622 |
| 流動負債合計 | 1,621,286 | 2,061,273 |

「負債の部」のうち「流動負債合計」は前期比4,399億8,700万円増加しました。
価格高騰の影響を受けて「支払手形及び買掛金」が3,101億3,700万円増加と膨張しています。同様の理由から「コマーシャル・ペーパー」も489億9,500万円増加しました。

### 固定負債

| | | |
|---|---:|---:|
| 社債 | 100,000 | 130,000 |
| 長期借入金 | 637,468 | 590,767 |
| 繰延税金負債 | 9,643 | 34,468 |
| 再評価に係る繰延税金負債 | 84,993 | 84,211 |
| 退職給付に係る負債 | 49,232 | 71,648 |
| 修繕引当金 | 73,197 | 67,527 |
| 資産除去債務 | 77,647 | 44,914 |
| その他 | 85,836 | 79,859 |
| 固定負債合計 | 1,118,019 | 1,103,397 |
| 負債合計 | 2,739,306 | 3,164,670 |

「固定負債合計」は前期比146億2,200万円減少しました。「長期借入金」467億100万円減少、「資産除去債務」327億3,300万円減少が大きな減少要因です。
「社債」300億円増加、「退職給付に係る負債」224億1,600万円増加などがありましたが、差し引きでは減少しました。

「流動負債」が増加し、「固定負債」が減少しましたが、流動負債の増加額が大きかったので「負債合計」は前期比4,253億6,400万円もの大幅増加となりました。

## 純資産の部

### 株主資本

| | | |
|---|---:|---:|
| 資本金 | 168,351 | 168,351 |
| 資本剰余金 | 461,635 | 460,507 |
| 利益剰余金 | 400,579 | 645,330 |
| 自己株式 | △ 2,008 | △ 1,883 |
| 株主資本合計 | 1,028,559 | 1,272,306 |

### その他の包括利益累計額

| | | |
|---|---:|---:|
| その他有価証券評価差額金 | 5,792 | 3,443 |
| 繰延ヘッジ損益 | △ 1,209 | △ 5,236 |
| 土地再評価差額金 | 159,585 | 157,154 |
| 為替換算調整勘定 | △ 47,207 | △ 26,762 |
| 退職給付に係る調整累計額 | 5,410 | 11,196 |
| その他の包括利益累計額合計 | 122,371 | 139,795 |
| 非支配株主持分 | 64,206 | 24,410 |
| 純資産合計 | 1,215,136 | 1,436,512 |
| 負債純資産合計 | 3,954,443 | 4,601,183 |

「株主資本合計」は前期比2,437億円強増加しました。この増加分は収益急向上で「利益剰余金」が前期比2,447億5,100万円積み上がったことによります。
「その他の包括利益累計額合計」を加えた「純資産合計」は前期比2,213億7,600万円増加しました。

## ●連結損益計算書

(単位：百万円)

| | 2021年3月期 | 2022年3月期 |
|---|---|---|
| 売上高 | 4,556,620 | 6,686,761 |
| 売上原価 | 3,997,591 | 5,802,585 |
| 売上総利益 | 559,028 | 884,175 |
| 販売費及び一般管理費 | 418,965 | 449,722 |
| 営業利益 | 140,062 | 434,453 |
| 営業外収益 | | |
| 　受取利息 | 9,935 | 9,083 |
| 　持分法による投資利益 | — | 15,029 |
| 　受取配当金 | 4,237 | 4,284 |
| 　為替差益 | — | 2,842 |
| 　補助金収入 | 4,655 | 3,528 |
| 　その他 | 4,564 | 5,555 |
| 　営業外収益合計 | 23,392 | 40,324 |
| 営業外費用 | | |
| 　支払利息 | 11,982 | 11,207 |
| 　持分法による投資損失 | 39,789 | — |
| 　その他 | 3,309 | 4,295 |
| 　営業外費用合計 | 55,082 | 15,502 |
| 経常利益 | 108,372 | 459,275 |
| 特別利益 | | |
| 　固定資産売却益 | 13,081 | 16,114 |
| 　投資有価証券売却益 | 59 | 3,546 |
| 　過去勤務費用償却益 | — | 2,144 |
| 　その他 | 1,947 | 4,877 |
| 　特別利益合計 | 15,087 | 26,683 |
| 特別損失 | | |
| 　減損失 | 20,164 | 15,907 |
| 　固定資産売却損 | 1,121 | 4,246 |
| 　固定資産除却損 | 6,863 | 9,752 |
| 　投資有価証券評価損 | 6,193 | 209 |
| 　在外子会社における送金詐欺損失 | 3,672 | — |
| 　長期貸付金評価損 | 18,114 | 55,916 |
| 　その他 | 2,747 | 11,864 |
| 　特別損失合計 | 58,877 | 97,896 |
| 税金等調整前当期純利益 | 64,582 | 388,062 |
| 法人税、住民税及び事業税 | 17,756 | 71,821 |
| 法人税等調整額 | 11,586 | 39,437 |
| 法人税等合計 | 29,343 | 111,258 |
| 当期純利益 | 35,239 | 276,803 |
| 非支配株主に帰属する当期純利益又は非支配株主に帰属する当期純利損失（△） | 319 | △2,695 |
| 親会社株主に帰属する当期純利益 | 34,920 | 279,498 |

「売上高」は前期比2兆1,301億4,100万円（46.7%）増加と驚異的な伸びとなりました。欧米を中心とした経済の正常化による需要回復に加え、2022年2月のロシアによるウクライナ侵攻で資源エネルギー価格が急騰して年度末を迎え、ドバイ産原油価格、豪州一般炭スポット価格が大幅に上昇したことによります。

「売上原価」も1兆8,049億9,400万円（45.2%）増加しましたが、「販売費及び一般管理費」は307億5,700万円（7.3%）増加と増加率は低くなっています。

「営業利益」は前期比3倍以上となる2,943億9,100万円増加しました。売上高営業利益率は前期3.1%から当期6.5%へと急向上しています。
ただ、この営業利益のうち2,332億円は在庫評価益の影響です。

前期決算で397億8,900万円計上された「持分法による投資損失」が計上されなかったことから「営業外費用合計」は395億8,000万円減少。「経常利益」は3,509億300万円の増加となりました。

「特別利益合計」が115億9,600万円増加した一方で「特別損失合計」も390億1,900万円増加。これには合弁子会社であるベトナム・ソニン製油所に対する「長期貸付金評価損」378億200万円の計上が大きく響いています。

「親会社株主に帰属する当期純利益」は前期の8倍にあたる2,794億9,800万円となりました。これを期中平均株式数2億9,729万株で割った1株当たり当期純利益は940.15円（前期は117.47円）です。

# 10 青山商事とAOKI HD、同業2社の決算書を比較しよう

青山商事㈱：紳士服専門チェーンのパイオニア。1964年に広島県府中市で創業し、紳士服業界で首位に立つ。主力の「洋服の青山」のほか、若者向け「ザ・スーツカンパニー」、カジュアルセレクトショップ「ユニバーサルランゲージ」など、2022年3月末現在で国内768店舗を展開。靴修理の「ミスターミニット」を2015年に買収し、非アパレル事業への多角化を進める。

㈱AOKIホールディングス：紳士服専門チェーンで業界第2位。1958年に長野県長野市で創業。株式上場も1987年4月で、ともに青山商事より古い。紳士服の郊外型ショップ「AOKI」を軸に、ショッピングセンター内出店のメンズ・レディース「ORIHIKA」などを展開。2022年3月末現在の国内総店舗数は610。カラオケ、複合カフェなど非アパレル事業の比率が急拡大中。

## ●青山商事の連結損益計算書

（単位：百万円）

| | 2021年3月期 | 2022年3月期 |
|---|---|---|
| 売上高 | 161,404 | 165,961 |
| 売上原価 | 81,382 | 82,252 |
| 売上総利益 | 80,021 | 83,709 |
| 販売費及び一般管理費 | 94,425 | 81,527 |
| 営業利益又は営業損失（△） | △ 14,404 | 2,181 |
| 営業外収益 | | |
| 　受取利息 | 77 | 52 |
| 　受取配当金 | 250 | 256 |
| 　不動産賃貸料 | 1,922 | 2,390 |
| 　デリバティブ評価益 | 217 | 104 |
| 　為替差益 | — | 345 |
| 　助成金収入 | 1,412 | 789 |
| 　受取補償金 | 55 | 805 |
| 　その他 | 1,003 | 517 |
| 　営業外収益合計 | 4,937 | 5,262 |
| 営業外費用 | | |
| 　支払利息 | 309 | 348 |
| 　不動産賃貸原価 | 1,463 | 1,799 |
| 　為替差損 | 42 | — |
| 　その他 | 155 | 145 |
| 　営業外費用合計 | 1,970 | 2,293 |
| 経常利益又は経常損失（△） | △ 11,436 | 5,150 |
| 特別利益 | | |
| 　固定資産売却益 | 45 | 111 |
| 　投資有価証券売却益 | 21 | 1,346 |
| 　特別利益合計 | 67 | 1,457 |

「売上高」は前期比45億5,700万円（2.8%）増加しました。新型コロナ禍による行動制限の影響が前期ほどは響かず、主力の「ビジネスウェア事業」は既存店売上高が前期比12.4%増と伸びました。なお今期から収益認識会計基準を適用しています。

「売上原価」は8億7,000万円（1.1%）増加しました。売上原価が売上高の伸びを下回ったため、粗利益を示す「売上総利益」は36億8,800万円（4.6%）増加しました。「売上総利益率」は前期49.6%から当期50.4%へと0.8ポイント改善しました。

不採算店舗の閉鎖や人員削減など構造改革を進めた結果、「販売費及び一般管理費」は売上高が伸びたにも関わらず前期比128億9,800万円（13.7%）減少しました。粗利益率改善とコスト低減の効果から「営業利益」は前期144億400万円の損失から当期は21億8,100万円の利益へと黒字転換しました。

「営業外収益合計」が増加し、「営業外費用合計」が減少したことから、「経常損益」は前期114億3,600万円の損失から当期は51億5,000万円の利益へと黒字転換しました。

## 特別損失

| | | |
|---|---:|---:|
| 固定資産除売却損 | 277 | 209 |
| 減損損失 | 10,692 | 2,139 |
| 関係会社株式評価損 | — | 136 |
| 災害による損失 | 38 | 2 |
| 事業整理損失 | 672 | — |
| 事業構造改革費用 | 6,002 | — |
| 新型感染症対応による損失 | 1,531 | — |
| 関係会社製品交換費 | — | 1,169 |
| 特別損失合計 | 19,214 | 3,659 |
| 税金等調整前当期純利益又は<br>税金等調整前当期純損失（△） | △ 30,583 | 2,949 |
| 法人税、住民税及び事業税 | 1,557 | 1,696 |
| 法人税等調整額 | 6,554 | 139 |
| 法人税等合計 | 8,112 | 1,835 |
| 当期純利益又は当期純損失（△） | △ 38,695 | 1,113 |
| 非支配株主に帰属する当期純利益又は<br>非支配株主に帰属する当期純損失（△） | 192 | △ 237 |
| 親会社株主に帰属する当期純利益又は<br>親会社株主に帰属する当期純損失（△） | △ 38,887 | 1,350 |

「特別損失合計」は155億5,500万円減少しました。これは前期決算に計上された「事業構造改革費用」60億200万円や「新型感染症対応による損失」15億3,100万円が計上されなかったことや「減損損失」が減少したことによります。コロナ禍からの脱却を印象づける損失処理といっていいでしょう。

税金等の調整を行った後の「親会社株主に帰属する当期純損益」は前期388億8,700万円の損失から当期は13億5,000万円の利益と黒字転換しました。期中平均発行株式で割った1株当たり純利益は27.12円（前期は損失781.33円）です。

## ●AOKIホールディングスの連結損益計算書

（単位：百万円）

| | 2021年3月期 | 2022年3月期 |
|---|---:|---:|
| 売上高 | 143,169 | 154,916 |
| 売上原価 | 94,805 | 95,279 |
| 売上総利益 | 48,364 | 59,636 |
| 販売費及び一般管理費 | 54,157 | 54,193 |
| 営業利益又は営業損失（△） | △ 5,793 | 5,443 |
| 営業外収益 | | |
| 受取利息 | 67 | 69 |
| 受取配当金 | 27 | 26 |
| その他 | 270 | 173 |
| 営業外収益合計 | 365 | 269 |
| 営業外費用 | | |
| 支払利息 | 357 | 376 |
| 固定資産除却損 | 443 | 185 |
| 店舗閉鎖損失 | 68 | 333 |
| その他 | 309 | 456 |
| 営業外費用合計 | 1,178 | 1,351 |

「売上高」は前期比117億4,700万円（8.2％）増加しました。新型コロナ感染症の影響が薄まったことからファッション事業、エンターテイメント事業とも増加しました。

「売上原価」は4億7,400万円（0.5％）増加しています。売上高原価率は前期66.2％から当期61.5％に5.7ポイント低下しました。

粗利益を示す「売上総利益」は前期比112億7,200万円（23.3％）増加しました。「売上総利益率」は前期33.8％から当期38.5％へと4.7ポイント向上しています。

売上げ回復に加え、コストコントロールの成果から前期57億9,300万円の損失だった「営業損益」は当期54億4,300万円の黒字計上となりました。「売上高営業利益率」は3.5％と2期前の2020年3月期（3.7％）に比べるとまだ低位ですが、本業が収益を稼ぎ出したことは注目されます。

| | | |
|---|--:|--:|
| **経常利益又は経常損失（△）** | △ 6,606 | 4,360 |
| **特別利益** | | |
| 　　固定資産売却益 | — | 3,994 |
| 　　投資有価証券売却益 | 4 | — |
| 　　新株予約権戻入益 | 70 | — |
| 　　雇用調整助成金等 | 691 | 1,968 |
| 　　特別利益合計 | 767 | 5,962 |
| **特別損失** | | |
| 　　減損損失 | 1,991 | 2,881 |
| 　　投資有価証券評価損 | 1,369 | 153 |
| 　　臨時休業等による損失 | 2,200 | 1,583 |
| 　　事業構造改善費用 | 213 | — |
| 　　特別損失合計 | 5,775 | 4,618 |
| **税金等調整前当期純利益又は税金等調整前当期純損失（△）** | △ 11,614 | 5,704 |
| **法人税、住民税及び事業税** | 786 | 3,028 |
| **法人税等調整額** | △ 470 | 112 |
| **法人税等合計** | 316 | 3,141 |
| **当期純利益又は当期純損失（△）** | △ 11,931 | 2,563 |
| **親会社株主に帰属する当期純利益又は親会社株主に帰属する当期純損失（△）** | △ 11,931 | 2,563 |

> 営業外収支は若干悪化しましたが、それでも「経常損益」は前期66億600万円の損失から当期は43億6,000万円の利益へと黒字転換しました。

> 「特別利益合計」は前期比51億9,500万円の増加となりました。「固定資産売却益」39億9,400万円が新たに計上されたほか、「雇用調整助成金等」が12億7,700万円増加しています。逆に「投資有価証券評価損」12億1,600万円減少などにより「特別損失合計」は11億5,700万円減少しています。

> 税金等の調整を行った後の「親会社株主に帰属する当期純損益」は前期119億3,100万円の損失から当期は25億6,300万円の利益へと黒字転換しました。
> 期中平均発行株式で割った1株純利益は30.21円（前期は140.77円の損失）です。コロナ前決算である2020年3月期の1株当たり純利益5.23円を上回る水準まで回復しました。

## 同業2社比較

●**ライバル意識が強い**……紳士服専門チェーンの双璧といっていい2社ですが、青山商事の売上高が1,659億円、AOKI HDが1,549億円と規模も似通っています。会社設立はAOKIが6年早く、株式上場も3ヵ月早かったものの、ともにオーナー一族の影響が強い経営体質であるなど、とかく比較されやすく、お互いにライバル視している模様です。

●**株式市場の評価はAOKIに軍配**……株式市場による企業評価を示す株式の時価総額を見ると、AOKIが576億円、青山商事411億円（2022年7月7日現在）とAOKIが40%ほど多く、投資家はAOKIを高く評価していることがわかります。

●**多角化で評価が分かれる**……投資家が注目しているのは事業多角化への取り組みでしょう。AOKIのファッション事業は総売上高の57%でしかなく、複合カフェ「快活CLUB」、カラオケ店「コートダジュール」などエンターテイメント事業が37%を占めるまでに成長しています。2022年3月期決算でもエンターテイメント事業の黒字転換が全体の収益を向上させる駆動力となりました。一方、青山商事のビジネスウエア事業は2022年3月期決算で68%を占めています。雑貨販売、印刷・メディア、靴リペアサービスなどの多角化部門を持っていますが、収益の稼ぎ頭というには小規模です。

●**本業の稼ぎもAOKIに軍配**……営業利益率を比較すると、青山商事が1.3%で、AOKIが3.5%。AOKIは多角化した事業により本業でしっかりと稼いでいます。

# 索 引

● 著者プロフィール

## 佐々木　理恵（ささき　まさえ）

税理士。自由が丘産能短期大学・産業能率大学通信教育課程兼任
教員。産業能率大学大学院総合マネジメント研究科税務マネジメン
トコース兼任教員。日本簿記学会会員。
中央クーパース・アンド・ライブランド国際税務事務所、エルイーエ
フコンサルティング等において税務スタッフとして勤務。
佐々木理恵税理士事務所を開業。法人・個人事業主のお客様に向
けて、決算書作成、税務申告等の業務サポートを提供。
短大、大学で簿記講師を務め、「財務諸表の考え方」をはじめ、「企
業税務の知識」「所得税法」なども担当。
著書に『これから始める人の簿記入門』『これから始める人の経理入門』（いずれも新星出版社）
がある。

本書の内容に関するお問い合わせは、**書名、発行年月日、該当ページを明記の上、書面、FAX、お問い合**
わせフォームにて、当社編集部宛にお送りください。**電話によるお問い合わせはお受けしておりません。**
また、本書の範囲を超えるご質問等にもお答えできませんので、あらかじめご了承ください。

　FAX：03-3831-0902
　お問い合わせフォーム：http://www.shin-sei.co.jp/np/contact-form3.html

落丁・乱丁のあった場合は、送料当社負担でお取替えいたします。当社営業部宛にお送りください。
本書の複写、複製を希望される場合は、そのつど事前に、出版者著作権管理機構（電話：
03-5244-5088、FAX：03-5244-5089、e-mail：info@jcopy.or.jp）の許諾を得てください。
JCOPY ＜出版者著作権管理機構 委託出版物＞

| | ここだけ読めば決算書はわかる！　2023年版 | |
| --- | --- | --- |
| 2022年8月25日　初版発行 | | |
| 著　者 | 佐々木　理恵 | |
| 発行者 | 富永　靖弘 | |
| 印刷所 | 今家印刷株式会社 | |

発行所　東京都台東区　株式　**新星出版社**
　　　　台東2丁目24　会社
　　　　〒110-0016　☎03（3831）0743

ⓒ Masae Sasaki　　　　　　　　　　　　　Printed in Japan

ISBN978-4-405-10408-2